伴奏・楽譜・歌詞集 全36曲

CD・QR 音源付ですぐに使える!

すぐに使える!

高齢者のための音楽レクリエーション

音楽療法のプロが教える

監修
音楽療法士 武知治樹
脳の学校代表 加藤俊徳

メイツ出版

はじめに

この度は、『CD・QR音源付ですぐに使える!　高齢者のための音楽レクリエーション 音楽療法のプロが教える』を手にとってくださり、誠にありがとうございます。

タイトルにある音楽療法は、メロディー、ハーモニー、リズム、その他にも多種多様な音楽の要素がもつ療法的な働きを、心身の回復や発達の促進、介護予防や認知症予防などに向けて、意図的、計画的に利用し、行われています。

年代を問わず、幅広い方を対象としていますが、日本においては、高齢者や心身に障がいを抱え福祉サービスを必要とする方々へ提供されることが多いセラピーです。

『CD・QR音源付ですぐに使える!　高齢者のための音楽レクリエーション 音楽療法のプロが教える』では、高齢者福祉の場面で利用される音楽療法の技法や活動を、レクリエーションとして取り組みやすく応用し、よりわかりやすく図解しました。

第1章では、レクリエーションの進め方や準備、楽器の紹介、第2章では、主に身体を動かす活動、第3章では、楽器を用いた活動、第４章では、グループで楽しめる活動とそのコツやテクニック、そして第5章では、1年を通した季節の曲や話題を紹介しています。

また特典CD及びQR音源では、それぞれの活動に使える楽曲をピアノ伴奏で収録してありますので、ピアノが演奏できない方でも、このCD及びQR音源を用いて紹介した活動ができるよう工夫しています。

この本がきっかけとなり、より多くの方に音楽の楽しみと喜びが届けられると幸いです。

Move your heart with music.
ココロが踊り続ける人生を。

株式会社Wellone's取締役
Leaf音楽療法センター長
武知 治樹

※本書は2018年発行の『CD付すぐに使える! 高齢者のための音楽レクリエーション音楽療法のプロが教える』を元に、QRコードによる音源再生が可能な形として再編集し、書名を変更して発行しています。

図1　8つの脳番地図

参考：「アタマがみるみるシャープになる脳の強化書（あさ出版）

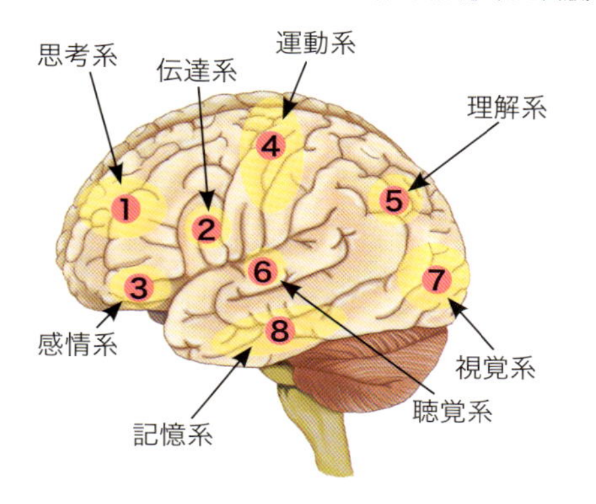

1 思考系脳番地	思考や意欲や創造力など高度な考える機能を担当します。
2 伝達系脳番地	人とのコミュニケーションを担当します。
3 感情系脳番地	感情に関する事柄を担当し、一生成長を続けます。
4 運動系脳番地	体を動かすときに働きます。
5 理解系脳番地	目や耳を通じて得た情報を理解する時に働きます。
6 聴覚系脳番地	言葉の聞き取りや、周囲の音を聞くときに働きます。
7 視覚系脳番地	文字を読んだり、画像・映像を見るときに使われます。
8 記憶系脳番地	知識や感情を記憶するときに使われます。

複数の脳番地を刺激する音楽の力

音楽の定義は、その種類によって色々ですが、美学では、“音楽は、音を使った時間の表現”なのだそうです。最初の音楽は、おそらく歌声だろうと考えられています。ですから、最古の楽器は、我々が持つ「声」や「手拍子」であったと推測できます。楽器や楽譜は、今では当たり前ですが、実は音楽史における大きな発明だったのです。このように音楽が、我々人間の脳が作り上げた創造物であるため、その脳は音楽によって刺激されると考えることができます。

20年ほど前に、米国の大学で、「音楽がどのように、脳を刺激するか」を研究し始めました。その結果、音楽をただ聴くよりも自分で歌ったり、アタマの中で音楽を演奏したりすること、つまり、音楽を自分の脳を使って奏でる方がより多くの脳番地を刺激することが明らかになりました。

音楽は、音や言葉、さらには、時間の表現であるので、脳の中の聴覚系、言語系だけでなく、海馬を介して、記憶系を刺激しやすいことが分かってきました。音楽は海馬を刺激します。美しい絵画をみることと、音楽に触れることとは、全く別な脳内のネットワークを刺激するのでしょう。絵画をみるよりも音楽を聴く方が何故、海馬を刺激するのか、今も謎が残っています。

音楽とどのように関わるかによって、脳の中にある8つの系統の脳番地への刺激の仕方が違ってきます。たとえば、図1で説明しますと、カラオケを歌わずに聴くだけなら、聴覚系の刺激だけですが、歌手をまねして振りまでつけて歌えば、運動系、思考系も刺激されます。感情を込めて歌えば、感情系や理解系も同時に刺激されます。人に聴いてもらうことを意識すれば、伝達系がイキイキしてきます。懐メロを思い出とともに歌えば視覚系、記憶系が躍動しはじめます。

このように、音楽の力は脳全体の番地をまんべんなくイキイキさせる魔法の力があるようです。現在の脳科学で音楽の力をすべて語ることはできません。しかし、音楽と生涯、上手に楽しく関わり続けることで、自分の脳が少しずつ成長していくことを実感できると思います。「オンチだから音楽はちょっと」と思っている人こそ、脳には新鮮で効果的だと考えられます。音楽を通じて、いくつになっても一歩でも、半歩でも成長できる脳に挑戦して頂きたいと思います。音楽には、それに応えてくれる不思議な力があると考えています。

脳の学校代表　　加藤プラチナクリニック院長　加藤俊徳

CD・QR 音源付ですぐに使える！
高齢者のための音楽レクリエーション　音楽療法のプロが教える　もくじ

はじめに
　武知治樹……………………………………… 2
　加藤俊徳
　　複数の脳番地を刺激する音楽の力… 3
　この本の見方………………………………… 5
　このCD・QR コード音源の使い方…… 6

第1章
音楽レクリエーションのねらいとその魅力

楽器紹介……………………………………… 8
音楽レクリエーションの見方………… 10
プログラムの作り方……………………… 12
準備編………………………………………… 13
プログラムシート………………………… 17
参加者リスト……………………………… 18

第2章
歌と体操 ～体を動かして楽しむ～

手あそび歌①　指折り体操……………… 20
手あそび歌②　「さ」で手拍子 ………… 24
手あそび歌③　二人で手合わせ………… 26
手あそび歌④　リズム手拍子…………… 30
手話唄①
　手話で唄おう「故郷（ふるさと）」 …… 32
手話唄②
　手話で唄おう「ふじの山」 …………… 38
スキンシップ活動①
　握手で回ろう……………………………… 44
スキンシップ活動②
　幸せならスキンシップで……………… 46

第3章
歌と楽器を鳴らして楽しむ

打楽器活動　ジャンベでご挨拶………… 50
布を使った活動　大布あそび…………… 52
リズム活動　リズムゲーム……………… 56
サウンドブロック
　サウンドブロックで即興演奏体験…… 60
トーンチャイム①
　3コードでトーンチャイム合奏……… 62
トーンチャイム②
　8つのトーンチャイムで合奏………… 66
トーンチャイム③
　トーンチャイムバレー………………… 68
●コラム　楽器を手作りしてみよう！…… 70

第4章
グループで楽しむ

交互唱　交互唱で歌あそび……………… 72
歌詞作り　オリジナル歌詞作り………… 76
入れ替え唱　入れ替え唱で歌あそび…… 78
歌詞朗読　赤とんぼの歌詞朗読………… 82
主役体験活動
　セリフ入りの歌で主役体験…………… 86
歌めぐり　日本全国歌めぐり…………… 90
音楽回想法①　幼少時代を振り返る…… 96
音楽回想法②　恋愛や結婚の話題…… 100

第5章
1年の季節・行事を歌で楽しむ（12ヵ月を楽しむ）

春
3月の歌と話題 ……………… 104
4月の歌と話題……………… 106
5月の歌と話題 ……………… 108

夏
6月の歌と話題 ……………… 110
7月の歌と話題……………… 112
8月の歌と話題 ……………… 114

秋
9月の歌と話題 ……………… 116
10月の歌と話題 ……………… 118
11月の歌と話題 ……………… 120

冬
12月の歌と話題 ……………… 122
1月の歌と話題……………… 124
2月の歌と話題 ……………… 126

この本の見方

【CD ナンバー】

【目的】
各項目の目的を説明してあります。

【QR コード】

【楽譜】

【ステップアップ】
基本ができるようになったら、ステップアップに進みましょう。

【項目】

【準備すること】

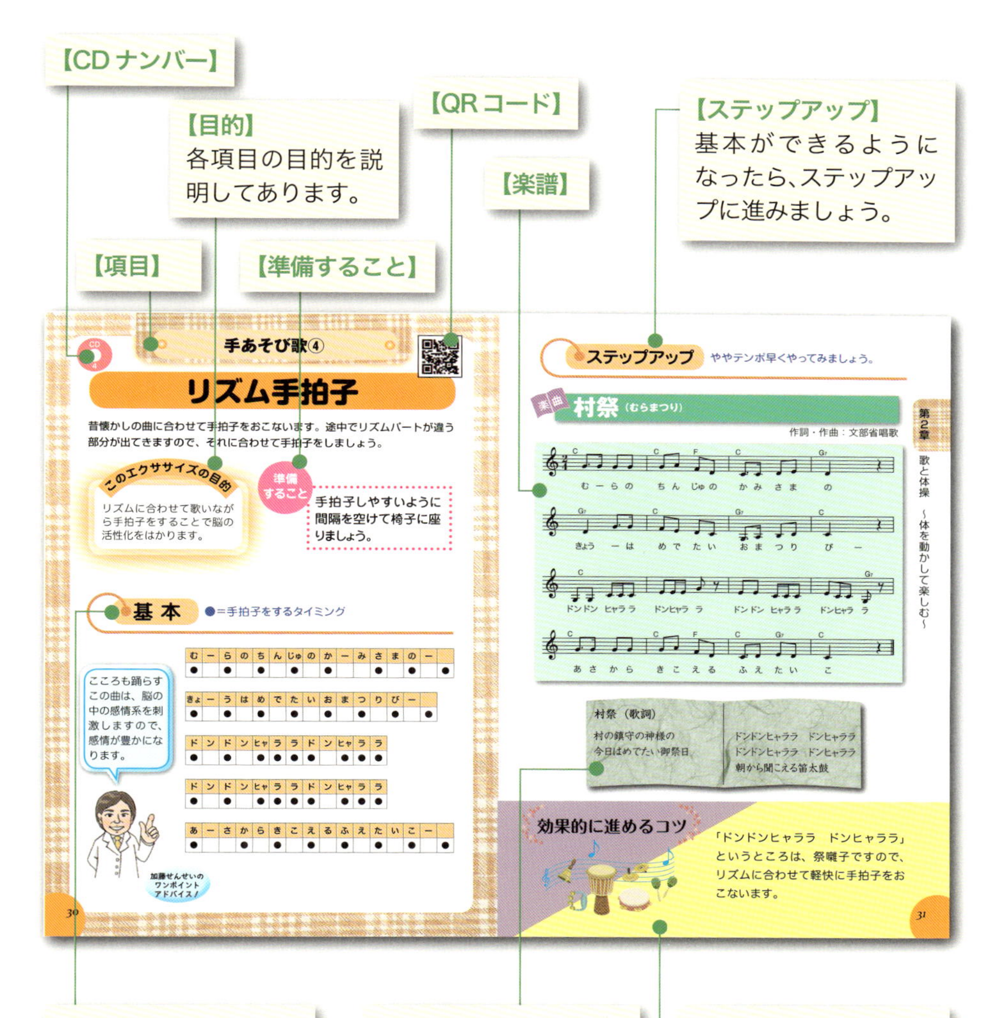

【基本】
初めて行う場合になどに向いているシンプルなバージョンです。

【歌詞】
ひらがなと漢字のものと用意しています。コピーして参加者にお配りする時にも使えます。

【効果的に進めるコツ】
初めて行う際に気をつけていただきたいことや、スムーズに行うためのヒントです。

このCD・QRコード音源の使い方

この音楽は、どなたでも知っている、童謡・唱歌を中心に収録しています。
懐かしい想い出といっしょに、楽しく歌いましょう。

CD・QRコード音源には本誌掲載順に曲が収められています。
各ページのCD・QRコード音源ナンバーに合わせてお使いください。
曲だけを収録していますので、曲に合わせて歌っていただけるようになっています。

収録曲

1.早春賦
2.あんたがたどこさ
3.茶摘み
4.村祭
5.故郷
6.ふじの山
7.夕焼け小焼け
8.幸せなら手をたたこう
9.海
10.琉球音階（サンプル曲）
11.ブルース音階（サンプル曲）
12.春の小川
13.花
14.パッヘルベルのカノン
15.浦島太郎・桃太郎（交互唱）
16.タナバタサマ
17.炭坑節
18.赤とんぼ
19.君といつまでも
20.ソーラン節
21.草津節
22.仰げば尊し
23.くつが鳴る
24.瀬戸の花嫁
25.うれしいひなまつり
26.おぼろ月夜
27.こいのぼり
28.雨ふり
29.夏の思い出
30.我は海の子
31.里の秋
32.旅愁
33.紅葉
34.星の界
35.一月一日
36.春よ来い

第1章

音楽レクリエーションのねらいとその魅力

この章では、アクティビティの進め方や準備、エクササイズに使いやすい楽器などをご紹介します。

楽器紹介

ここでは、高齢者向けのレクリエーションに活用できる楽器をご紹介します。誰にでも簡単に使えるものばかりです。リズム楽器は、歌を歌うときのほか、歌が苦手な方や、発声が難しい方にも、一緒にご参加いただけます。

この本で実際に紹介している楽器

♬ ジャンベ

西アフリカで伝統的に演奏されている太鼓です。
主に山羊の皮が張られたシンプルな打楽器です。

♬ タンバリン

♬ サウンドブロック

サウンドブロックは、「音積み木」ともいわれています。木琴のように一枚の板をたたくと一つの音が出ます。
一音ずつ、ブロックを組み合わせて使えるのが特徴です。

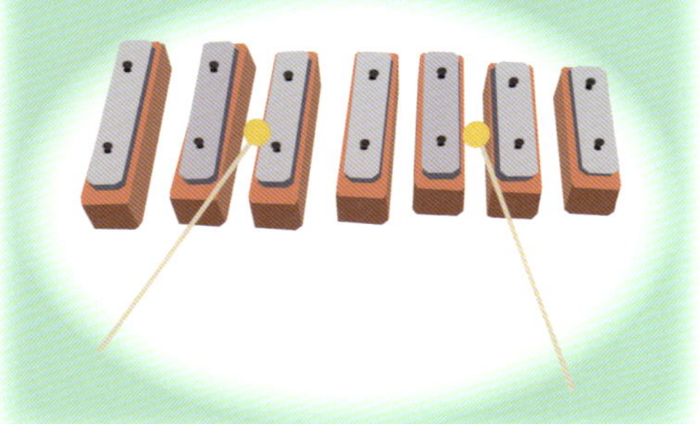

♬ トーンチャイム

アルミ合金でできたパイプをたたいて共鳴させる楽器です。軽くて使いやすいので、演奏も簡単です。やわらかく響く美しい音色の楽器です。ハンドベルよりも音が小さく音色も柔らかいのが特徴です。

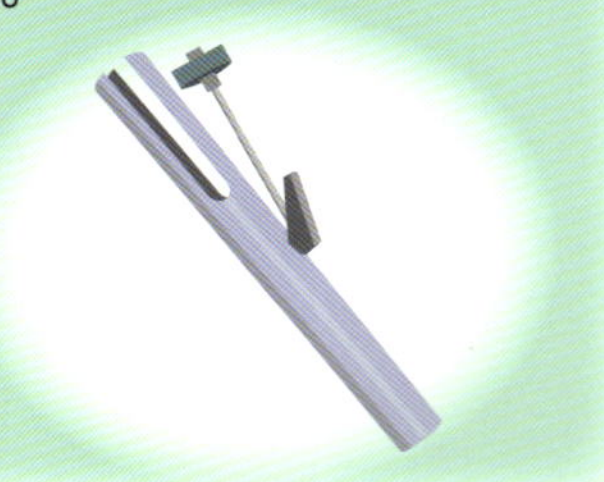

♬ 鈴

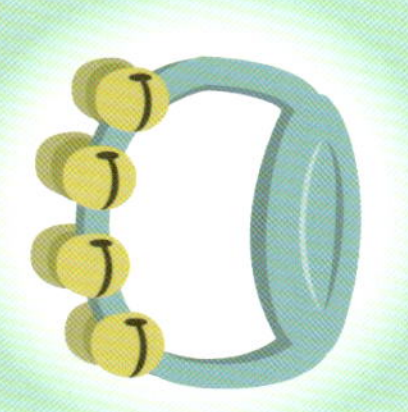

♬ 鳴子

♬ オルガン

学校などで昔から使われてきた楽器です。スタッフが演奏する曲に合わせて、参加者が歌ったり、からだを動かしたりのエクササイズに使います。おなじみの音色は高齢の方の思い出にも親しみやすいでしょう。

エクササイズで使えるその他の楽器

♬ マラカス

♬ フィンガーシンバル

小さいので持ちやすく、音も普通のシンバルより低く小さめの音がします。

♬ カスタネット

♬ トライアングル

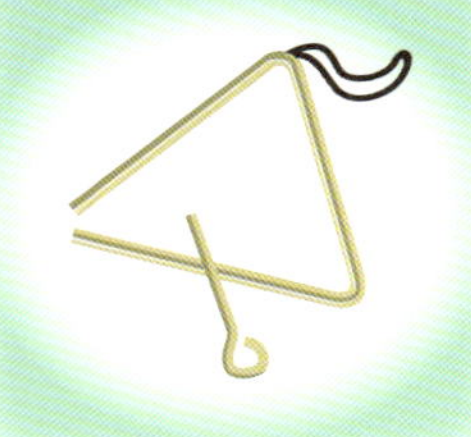

♬ ウッドブロック

♬ ハンドベル

音楽レクリエーションの進め方

ポイント1
参加者に楽しんでもらおう！

声を出す
なるべく大きな声を出してもらうよう、明るくうながしましょう。
発声は大きく息を吸い込むことにもなるので、酸素を多く取り入れられます。
また、ストレス発散にも効果的です。

体を動かす
レクリーエーションを始める前に、かるく腕を回すなどのストレッチをしてから始めるとよいでしょう。
歌に合わせて体を動かすことで、より楽しくリハビリができます。

間違えても大丈夫
歌詞や動作を間違えてしまうことも多いかもしれません。そういう時は、明るく「大丈夫。気にしないで」
と楽しく続けられるよう声をかけましょう。音が外れても大きな声が出せて楽しめることが大事なのだということを伝えましょう。

みんなで参加できるようにする
歌を歌う、体を動かす、話を聞く、2人１組やグループになるなど、レクリエーションの中には様々なパターンがあります。全員が参加して楽しめるような配慮が大切です。

トラブルを防ぐ
体がぶつかったり、転倒することもあり得ますから、十分な間隔をあけるようにしましょう。座っておこなうレクリエーションでも体を大きく動かしすぎて転倒することのないように、留意しましょう。
また、グループの活動では、参加者同士のトラブルもあるかもしれません。未然に防げるように、座る位置や不満そうな様子を見せている方がいないかにも注意を払う必要があります。

ポイント2
スタッフの心がけ

⁂ 大きな声で挨拶をする
会場に参加者が入ってきた時や、レクリエーションを始める時などは、大きな声で挨拶をしましょう。互いに親しみがわきます。
会が終わったときや、帰るときも同じです。

⁂ 元気に体を動かす
スタッフが何もせずに見ていては盛り上がりません。一緒に歌い、体を動かすことが大事です。
歌を共有することで、信頼感も生まれます。

⁂ いつも笑顔で
失敗やアクシデントもあるでしょう。しかし、どんなときも、参加者を不安にさせないことが大事です。
笑顔で接するよう心がけましょう。

⁂ 無理をさせない
参加者について事前に把握しておくことはもちろん大事ですが、当日の体調や気分なども大きく会場の雰囲気に影響します。
途中でやめてしまう方もいるかもしれません。そんなときは無理をせず、休んでいただくなど、配慮をしましょう。
全員に必ず参加してもらわねばと気負わないことが長続きするコツです。

⁂ 事前準備はバッチリと
スタッフの役割や、会場作り、事前に準備するもの、手順など、準備をきちんと整え、打ち合わせをしておくことで、スムーズにすすめられ、楽しいレクリエーションにすることができます。

ポイント3
目標を立てよう！

この本を参考にして、何を目標にするか決めましょう。

【例】声を出す　上半身を動かす　チームワークを育む　話をしてもらう

プログラムの作り方

1. 参加者の体調やできることに合わせて目標を決める。
2. 準備時間を除いた、プログラムの時間を決める。
3. 短いものなら、いくつか組み合わせることでメリハリを持たせる。
4. グループで楽器を使う、話を聞くなどのプログラムは全員参加できるように目を配る。
5. 無理のない時間で、さまざまな状態の参加者がみんなで楽しめるように工夫する。

1. あんたがたどこさ
   ◎歌に合わせて手拍子や音抜きなど、歌と動作がメイン　（15分）
2. 浦島太郎と桃太郎　◎グループを二つに分け、交互に歌唱　（15分）
3. その月の歌を歌う　◎月の行事にちなんだ質問もし、歌を歌う　（15分）

例

1つものだけをする場合（45分）

1. トーンチャイム　◎春の小川　（20分）
2. トーンチャイム　◎春の小川　2度目にチャレンジ　（20分）
3. その月の歌を歌う　◎歌のみ　（5分）

※はじめと終わりに　腕を回す、伸ばすなどのストレッチをするとよい。

準備編

レクリエーションをおこなう当日までの準備を説明します。

参加者の心身の状態なども考慮に入れて目標を決め、プログラムを組み立てましょう。
「声を出す」、「楽器に親しむ」、「音に合わせて体を動かす」といった、目標からはじめるとよいでしょう。

参加者の年齢層、出身地、家族構成、心身の状態をリストにし、スタッフ全員が共有できるようにしましょう。
苦手なことや得意なこともメモしておくと、その後のレクリエーションにも活かすことができます。
作成した参加者リストは、必ずスタッフに目を通してもらいましょう。

Ｐ１２のプログラムの作り方を参考に、時間や内容を決めます。
参加者が疲れすぎないように配慮しましょう。

※プログラムシートを有効に使ってください。

プログラムに必要なものをリストアップしましょう。
歌詞幕（歌詞を印刷したもの）、当日のプログラムの予定（スタッフ用・参加者用）、スマホ又はCDプレーヤー、ホワイトボード、楽器、楽譜、動作を説明したプリント

プログラムを作ったら、スタッフの役割分担を決めましょう。

【準備】…誰が何を準備するか

【当日】…会場作りや参加者を誘導する際の役割分担

・**リーダー**（司会・音源をかける）
盛り上げ役です。また前から全体を見て、アシスタントに指示を出す役割もあります。

・**アシスタント**（参加者の中に入り、見守る、手助けをする）
※参加者の苦手なことや嫌いなこと、得意なこと、好きなこと、進行の反省点をメモしておくと、今後に役立ちます。

・**インストラクター**（参加者の前で実際の動作や、楽器の使い方をやってみせる）
※専門家を呼ぶ場合もあります。
※笑顔で大きな声を出し、参加者と一緒に楽しむようにするのがコツです。
※全員の様子に目を配り、疲れている人や、やる気を失っている人、出来なくて困っている人、体を動かしすぎて不安定な姿勢になりかかっている人を速やかに手助けできるようにしましょう。人数が多い場合やグループに分かれる場合は、担当アシスタントを決めておくとよいでしょう。
※認知症のひとは、場面が変わると混乱する場合があります。「次は○○を歌いますよ」と事前に声がけをしましょう。

❶ 全員が前を向く場合

椅子の位置を工夫するなど、全員にホワイトボードが見えるようにします。また、耳が聞こえくい方は、音源の近くに座っていただくようにし、車椅子の方は出やすい位置にするなど配慮しましょう。

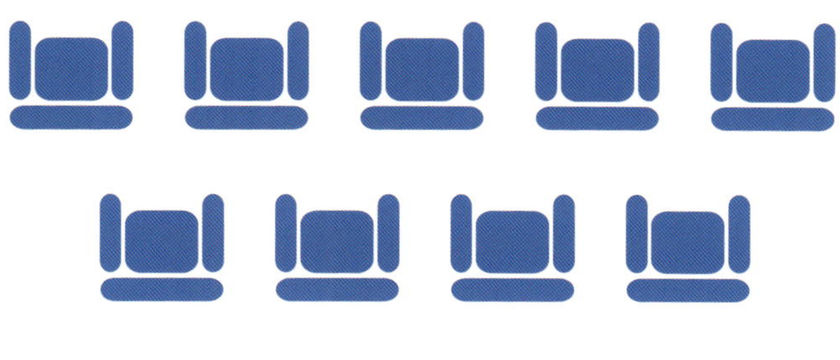

❷ 円状に用意する場合

円状に用意する場合にも一部分開けて、指導者の動作やホワイトボードが見えやすくなるように配置しましょう。

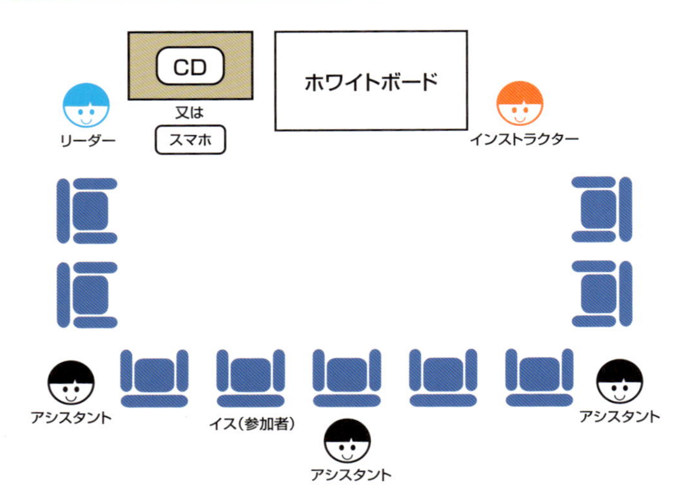

❸ グループ別にする場合

トーンチャイムや交互唱など、いくつかのグループに分ける場合の会場のつくりです。

参加人数に合わせ、また、楽器や歌の得意不得意など、参加者の方の状況に合わせてバランスよくなるように配置するのがコツです。

※参加者の苦手なことや嫌いなこと、得意なこと、好きなこと、進行の反省点をメモ

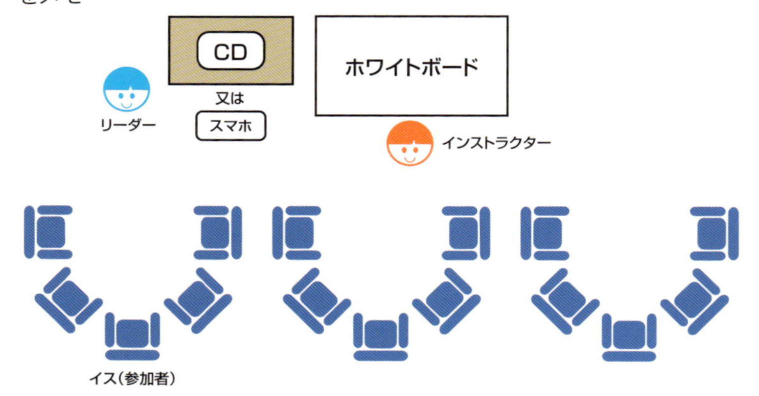

コピーしてお使いください。拡大コピーの場合は、倍率 141%で A4 用紙、倍率 122%で B5 用紙に合います。

プログラムシート　　　　テーマ【　　　　】

	実施日　年　月　日　曜日		総時間		
全体の目標	時間	プログラム	曲目	内容	準備/備考
準備するもの					
スタッフ					
名前／役割					

参加者リスト 【　　　　　　　　　　】 参加人数　　　　　年　　月　　日

NO	氏　名	性別	年齢	出身地	明治 大正 昭和	生年月日			歌	動き	会話	その他
						年	月	日				
						年	月	日				
						年	月	日				
						年	月	日				
						年	月	日				
						年	月	日				
						年	月	日				
						年	月	日				
						年	月	日				
						年	月	日				
						年	月	日				
						年	月	日				
						年	月	日				
						年	月	日				
						年	月	日				
						年	月	日				
						年	月	日				

コピーしてお使いください。拡大コピーの場合は、倍率 141%で A4 用紙、倍率 122%で B5 用紙に合います。

第2章

歌と体操
～体を動かして楽しむ～

この章では、身体を使ったエクササイズを中心にご紹介します。

手あそび歌①

指折り体操

歌唱しながら曲に合わせて指折り体操をおこないます。

指先と脳は直結しているため、手指の細かな運動は頭の体操にもなります。基本が出来るようであれば、ステップアップのパートにも挑戦してみましょう。

準備すること

指を折ったり伸ばしたり、指の準備運動をしましょう。

手の準備運動をすることで、楽器の操作もしやすくなります。演奏活動の前などにおこなうとよいでしょう。

リズムに合わせて手の指を動かすと大脳皮質にある運動野を刺激します。計画的に行動できる力を養うためにはとってもよい運動です。

加藤せんせいのワンポイントアドバイス！

基本

まずは歌いながら左右の手の指を
同じように動かしましょう。

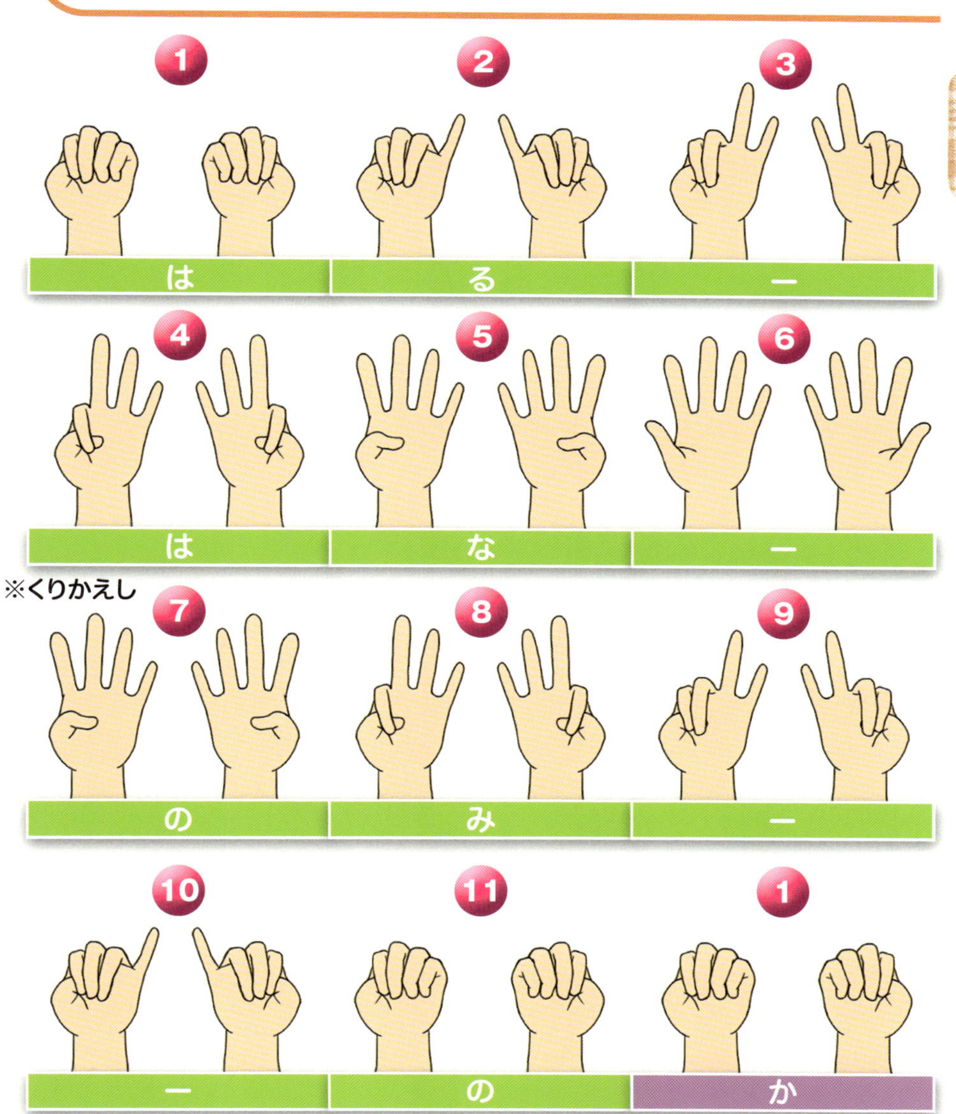

（かぜのさむさや～）に続く

早春賦（そうしゅんふ）

❶❷❸❹❺❻❼❽❾❿⓫
はるーはなーのみーーの
❶❷❸❹❺❻❼❽❾❿⓫
かぜーのさむさやーーー
❶❷❸❹❺❻❼❽❾❿⓫
たにーのうーぐいーーす
❶❷❸❹❺❻❼❽❾❿⓫
うたーはおもえどーーー

ステップアップ

左右で違う形の指折り体操をおこないましょう。

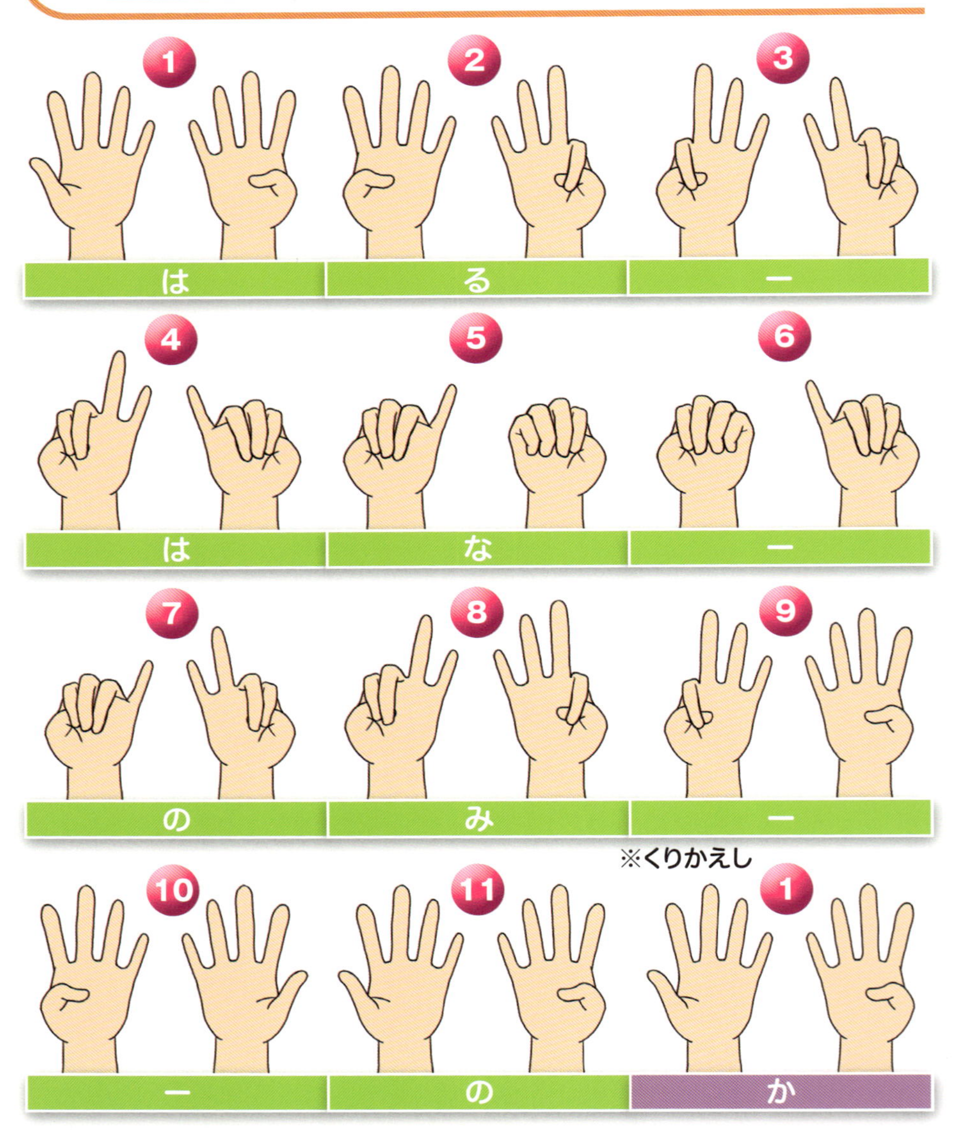

（かぜのさむさや～）に続く

早春賦（そうしゅんふ）

❶❷❸❹❺❻❼❽❾❿⓫ ❶❷❸❹❺❻❼❽❾❿⓫
ときーにあーらずーーと こえーもたーてずーーー
❶❷❸❹❺❻❼❽❾❿⓫ ❶❷❸❹❺❻❼❽❾❿⓫
ときーにあーらずーーと こえーもたーてずーーー

スピードを上げて、左右で違う形の指折り体操をおこないましょう。

早春賦（そうしゅんふ）

作詞：吉丸一昌　　作曲：中田章

効果的に進めるコツ

一往復したらそこで止めて、指の形を確認しましょう。そのように節目節目で確認しながら進めると、参加者が理解しやすく、うまくできるようになるでしょう。

「さ」で手拍子

この曲は歌詞の中に「さ」という言葉がたくさん出てきますので、それに合わせて手拍子をしたり、もしくは音を抜いて合唱したりするエクササイズです。

準備すること

大きな紙などに大きな字で歌詞を書き写して、参加者が読めるようにしましょう。

手と声の運動で脳の活性化をする

基本

歌詞の「さ」のところで手拍子しましょう。

あんたがたどこさ

ひごさ　ひごどこさ

くまもとさ　くまもとどこさ　せんばさ

せんばやまにはたぬきがおってさ

それをりょうしがてっぽうでうってさ

にてさ　やいてさ　くってさ

それをこのはでちょいとかぶせ

「さ」に合わせて手拍子することで、会話力と瞬発力がアップします。

加藤せんせいのワンポイントアドバイス！

※歌詞の最後の「せ」のところでも手拍子をします。

ステップアップ

「さ」のところを抜いて
手拍子をしてみましょう。

あんたがたさどこさ

作詞・作曲：わらべうた

効果的に進めるコツ

手拍子の代わりに、タンバリンなどの楽器や空のペットボトルなど、叩くと音の出る道具を使うと楽しいでしょう。

二人で手合わせ

昔懐かしい手遊び歌です。
この曲は地域や年代によってさまざまなパターンがありますが、本書では一番ポピュラーなエクササイズをご紹介します。

準備すること

2人1組で向かい合わせになります。

このエクササイズの目的

手の動きと声を連動していくことで、脳の活性化をはかります。
また、地域や年代によって異なる歌詞や動作を、参加者のみなさんでその違いを楽しみながら、エクササイズをつくっていくことです。

基本

ゆっくりとやりましょう。

5種類のポーズ

2人でいっしょにタイミングをとることで、コミュニケーション力がアップします。

●合掌
自分の手のひらを合わせる

●右手
お互いの右手を合わせる

●左手
お互いの左手を合わせる

●両手平
お互いの両手のひらを合わせる

●両手甲
お互いの両手の甲を合わせる

歌詞 1

1

●合掌

・

2

●右手

な

1

●合掌

つ

3

●左手

も

1

●合掌

ち

2

●右手

か

1

●合掌

づ

3

●左手

く

1

●合掌

は

次のページにつづく

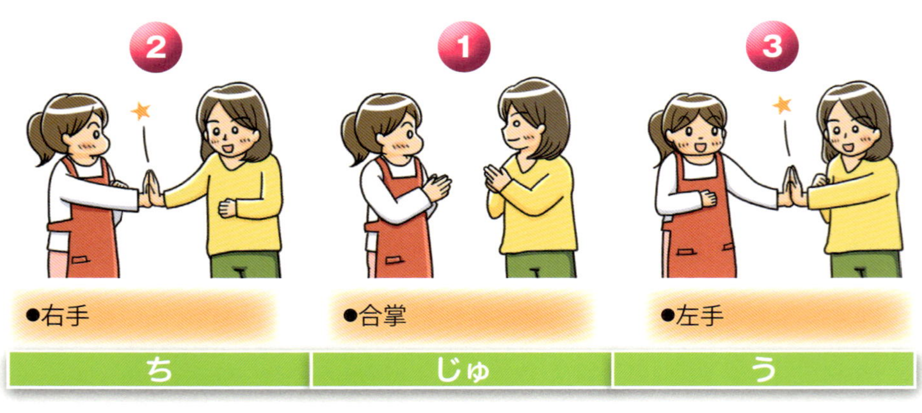

2
1
3
●右手
●合掌
●左手
ち
じゅ
う

1
2
1
●合掌
●右手
●合掌
は
ち
や

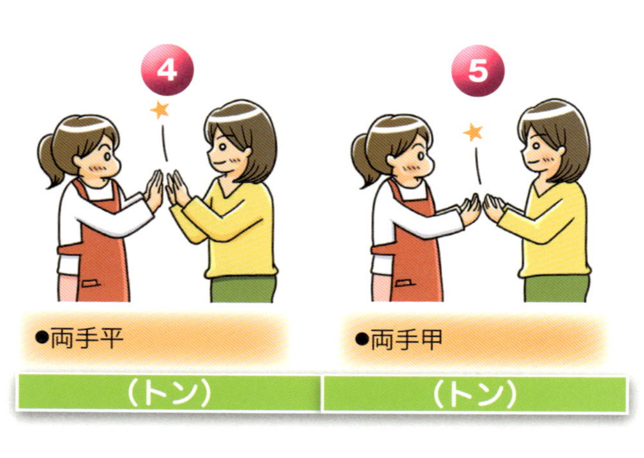

4
5
●両手平
●両手甲
（トン）
（トン）

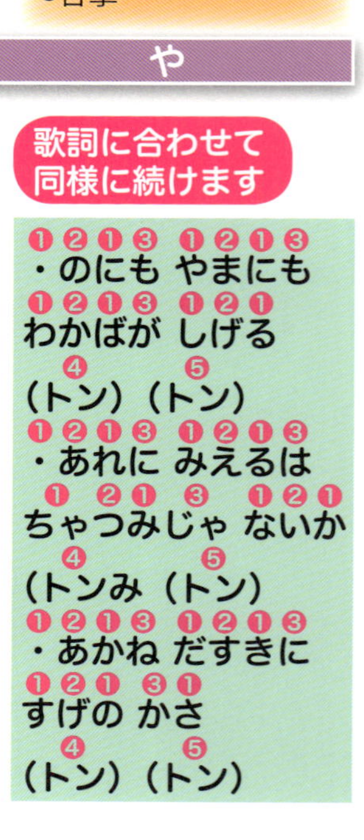

歌詞に合わせて
同様に続けます
❶❷❶❸ ❶❷❶❸
・のにも やまにも
❶❷❶❸ ❶❷❶
わかばが しげる
④ ⑤
（トン）（トン）
❶❷❶❸ ❶❷❶❸
・あれに みえるは
❶ ❷❶ ❸ ❶❷❶
ちゃつみじゃ ないか
④ ⑤
（トンみ（トン）
❶❷❶❸ ❶❷❶❸
・あかね だすきに
❶❷❶ ❸❶
すげの かさ
④ ⑤
（トン）（トン）

ステップアップ　ややテンポを早くしてみましょう。

茶摘み（ちゃつみ）

作詞・作曲：文部省唱歌

茶摘み（歌詞）

1.夏も近づく八十八夜
野にも山にも若葉が茂る
「あれに見えるは茶摘みじゃないか
あかねだすきに菅（すげ）の笠」

2.日和（ひより）つづきの今日このごろを
心のどかに摘みつつ歌う
「摘めよ摘め摘め摘まねばならぬ
摘まにゃ日本（にほん）の茶にならぬ」

効果的に進めるコツ

手遊び歌は地域や年代によって歌詞や動作が少しずつ違います。参加者に「○○さんはどうでしたか？」といった質問を取り入れて、いろいろな違いを味わっていくのも面白さの一つとなります。

リズム手拍子

昔懐かしの曲に合わせて手拍子をおこないます。途中でリズムパートが違う部分が出てきますので、それに合わせて手拍子をしましょう。

このエクササイズの目的

リズムに合わせて歌いながら手拍子をすることで脳の活性化をはかります。

準備すること

手拍子しやすいように間隔を空けて椅子に座りましょう。

基本

●＝手拍子をするタイミング

む	ー	ら	の	ち	ん	じゅ	の	か	ー	み	さ	ま	の	ー	
●		●		●		●		●			●		●		●

きょ	ー	う	は	め	で	た	い	お	ま	つ	り	び	ー	
●		●		●		●		●		●		●		●

ド	ン	ド	ン	ヒャ	ラ	ラ	ド	ン	ヒャ	ラ	ラ
●		●		●	●	●	●		●	●	●

ド	ン	ド	ン	ヒャ	ラ	ラ	ド	ン	ヒャ	ラ	ラ
●		●		●	●	●	●		●	●	●

あ	ー	さ	か	ら	き	こ	え	る	ふ	え	た	い	こ	ー	
●			●		●		●		●		●		●		●

こころも踊らすこの曲は、脳の中の感情系を刺激しますので、感情が豊かになります。

加藤せんせいのワンポイントアドバイス！

ステップアップ　ややテンポ早くやってみましょう。

楽曲　村祭（むらまつり）

作詞・作曲：文部省唱歌

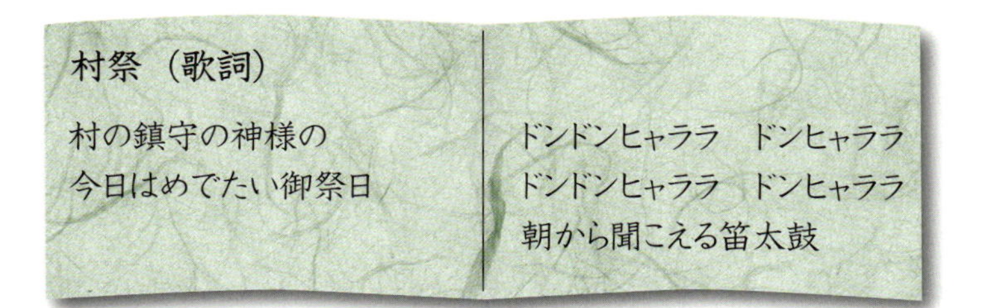

村祭（歌詞）

村の鎮守の神様の
今日はめでたい御祭日

ドンドンヒャララ　ドンヒャララ
ドンドンヒャララ　ドンヒャララ
朝から聞こえる笛太鼓

効果的に進めるコツ

「ドンドンヒャララ　ドンヒャララ」というところは、祭囃子ですので、リズムに合わせて軽快に手拍子をおこないます。

手話で唄おう「故郷（ふるさと）」

歌詞の内容を手話で表現します。

手話は、耳が聞こえない、もしくは聞き取りにくい人とのコミュニケーションの手段として広く活用されています。一つひとつのアクションが単語をあらわしていますので、それらを覚えて表現することで、単語・意味・動作の連動が脳と身体を刺激します。

このエクササイズの目的

微細運動を歌に載せていくことで脳の活性化、認知症予防が期待されます。

故郷（歌詞）

1.兎追いし彼の山
小鮒釣りし彼の川
夢は今も巡りて
忘れ難き故郷

2.如何にいます父母
恙無しや友がき
雨に風につけても
思い出づる故郷

準備すること

大きな動作もありますので、周囲の人とぶつからないくらいの間隔をあけましょう。

ふるさとは、幼少期の記憶が刺激されます。昔の映像を浮かべるように歌いましょう。記憶力を高めます。

基本　まずは歌詞の1番をマスターしましょう。

1
●手の甲を前にする

2
●人差し指を立てて
片側に近づける

3
●山を指す感じで

歌詞1

うーさぎ	おーいし	かーの

4
●山を描く

5
●指先の方へ
ゆらしながら動かす

6
●釣竿を上げるように

やまー	こーぶーなー	つーりし

7
●川を指すように

8
●手のひらを上にして
川の水面をあらわす

かーの	かーわー

故郷（ふるさと）①番

❶うーさぎ ❷おーひし
❸かーの ❹やまー
❺こーぶーなー ❻つーりし
❼かーの ❽かーわー

次のページにつづく

基本

9
●マンガのふき出しを
つくるように

ゆーめーは

10
●手のひらを下にして
2回上下させる

いーまも

11
●人差し指を上下で
向合わせぐるりと回す

めーぐーりーてー

12
●頭の上でこぶしを
パッとひらく

わーすれ

13
●ほっぺたを
つねるマネ

がーたき

14
●両手のひらを上に向け
腰の高さから上に

ふーるー

15
●お椀を伏せて
置くように

さーとー

故郷（ふるさと）①番

⑨ゆーめーは ⑩いーまも
⑪めーぐーりーてー
⑫わーすれ ⑬がーたき
⑭ふーるー ⑮さーとー

ステップアップ

歌詞の1番がマスターできましたら、
2番をマスターしましょう。

1 ●指を左右にふる

2 ●手を返す

3 ●自分を指す

歌詞2

いーかーに	いーます	ちーちー

4 ●親指と小指を立てる

5 ●こぶしを胸の前へ

6 ●手を返す

はーはー	つーつーがー	なーしやー

7 ●手のひらを合わせて
ひとまわしする

とーもーがーきー

故郷（ふるさと）②番

❶いーかーに ❷いーます
❸ちーちー ❹はーはー
❺つーつーがー
❻なーしやー
とーもーがーき

次のページにつづく

ステップアップ①

●上から下へ

あーめーにー

●右から左へ
（ひとまわししながら）

かーぜーにー

●右腕を撫でおろして
手のひらを上に開く

つーけー

●親指を軸に
人差し指を半回転

てーもー

●頭を指す

おーもーいー

●頭から
出ていくように

いーづる

●両手のひらを上に向け
腰の高さから上に

ふーるー

●お椀を伏せて
置くように

さーとー

故郷（ふるさと）②番

⑧あーめーにー
⑨かーぜーにー
⑩つーけー ⑪てーもー
⑫おーもーいー
⑬いーづる
⑭ふーるー ⑮さーとー

ステップアップ②

なにも見ないで、
ひとりでやってみましょう。

楽曲

故郷（ふるさと）

作詞：高野辰之　作曲：岡野貞一

効果的に進めるコツ

手話はそれぞれの単語をあらわしていますから、歌詞のイメージを思い描きながら練習しましょう。

手話で唄おう「ふじの山」

誰もが知っている山なので、手話の意味が分かりやすいでしょう。言葉の意味とその表現について考えながら、新しいものごとにチャレンジすることにも、このエクササイズの意義があります。

このエクササイズの目的

微細運動を歌に載せていくことで脳の活性化、認知症予防に役立ちます。

準備すること

大きな動作もありますので、周囲の人とぶつからないくらいの間隔をあけましょう。

ふじの山（歌詞）

1. あたまを雲の 上に出し
   四方の山を 見おろして
   かみなりさまを 下に聞く
   富士は日本一の山

2. 青空高く そびえ立ち
   からだに雪の 着物着て
   霞のすそを 遠く曳く
   富士は日本一の山

歌いながら大きな動作を正確にやろうとすることで、前頭葉の働きが刺激されイキイキしてくるはずです。

加藤せんせいのワンポイントアドバイス！

基本　まずは歌詞の1番をマスターしましょう。

❶ ●手で頭にふれる

❷ ●雲をえがくように

❸ ●水平にした左手の下から立てた右手親指を出す

歌詞1　あーたまーをー　くーもーのー　うーえにだーしー

❹ ●手をまわりにかざす

❺ ●山の形をえがく

❻ ●チョキで目線を表現

しーほーうーのー　やーまーをー　みーおーろーしーてー

ふじの山（ふじのやま）①番

あーたま❶ーをー　くーも❷ーのー
うーえ❸にだーしー
しーほ❹ーうーのー　やーま❺ーをー
みーおーろ❻ーしーてー

次のページにつづく

7

●手を下ろしながら親指と人差し指を広げる

かーみなーりーさーまーをー

8

●下向きに聞くポーズ

しーたにーきーくー

9

●富士山のシルエットをえがく

ふーじーはー

10

●日本列島のシルエットをえがく

にーっぽーんー

11

●「1」をあらわす

いーちーのー

12

●山の形をえがく

やまー

ふじの山（ふじのやま）①番

かーみなーり⑦ーさーまーをー
しーたに⑧ーきーくー
ふーじ⑨ーはー　にーっぽ⑩ーんー
いーち⑪ーのー　や⑫まー

ステップアップ

歌詞の１番がマスターできましたら、
２番をマスターしましょう。

●「天」をあらわす

●手を下から上に動かす

●２本の指で「立つ」表現

歌詞2 あーおぞら　たーかーくー　そーびえーたーち

●胴体をなでる

●雪が降るようすをあらわす

●着物の襟合わせをあらわす

かーらだーに　ゆーきーの　きーものーきーてー

ふじの山（ふじのやま）②番

❶あーおぞら　❷たーかーくー
❸そーびえーたーち
❹かーらだーに　❺ゆーきーの
❻きーものーきーてー

次のページにつづく

●「雲」と同じ動き

かーすみーのすーそーをー

●すそが広がっているようす

とーくひーくー

●富士山のシルエットをえがく

ふーじーはー

●日本列島のシルエットをえがく

にーっぽーんー

●「1」をあらわす

いーちーのー

●山の形をえがく

やまー

ふじの山（ふじのやま）②番

⑦かーすみーのー　すーそーをー⑧とーくひーくー
⑨ふーじーはー　⑩にーっぽーんー
⑪いーちーのー　⑫やまー

なにも見ないで、
ひとりでやってみましょう。

作詞・作曲：文部省唱歌

効果的に進めるコツ

歌詞の意味と、それをあらわす動作のイメージを結びつけていくのがコツです。なぜそういう表現になったのかを説明したり、話し合ったりするとよいでしょう。

スキンシップ活動①

握手で回ろう

童謡「夕焼小焼（ゆうやけこやけ)」を使ったスキンシップ・エクササイズです。その日のプログラムの最後に取り入れるとよいでしょう。
参加者お一人お一人に手を合わせたり、もしくは握手して回って行きます。

このエクササイズの目的

スキンシップの効果でより打ち解けることにより、参加者の方にリラックスしていただきます。

準備すること

椅子を半円状に設置します。

握手は、大脳の運動系に接して位置している皮膚感覚系を通じて感情系と繋がっています。運動だけでなく皮膚感覚を覚醒させましょう。

音楽療法士やスタッフとのスキンシップをはかりましょう。

加藤せんせいのワンポイントアドバイス！

基本

手をつないで曲に合わせて動きます。
一小節ごとに隣の人に移り、全員とスキンシップをはかりましょう。

楽曲 夕焼け小焼け（ゆうやけこやけ）

作詞：中村雨紅　作曲：草川信

夕焼け小焼け（歌詞）

1.夕焼け 小焼けで
日が暮れて
山のお寺の 鐘がなる
おててつないで みなかえろう
からすと いっしょに かえりましょ

2.子供が かえった
あとからは
まるい大きな お月さま
小鳥が夢を 見るころは
空には きらきら 金の星

効果的に進めるコツ

その日最後のエクササイズです。リラックスしていただくことが目的ですから、やさしい動作を和やかな雰囲気でおこないましょう。

CD 8

スキンシップ活動②

幸せならスキンシップで

「幸せなら手をたたこう」を二人一組で歌に合わせて動作をします。1番の「手をたたこう」、2番の「足ならそう」は単独でおこない、つづいて3番の「肩たたこう」と4番の「ほっぺたたこう」ではペアになった方の肩やほっぺに触れて、歌いながらスキンシップをはかりましょう。

準備すること 2人で1組になります。

このエクサイズの目的
参加者同士のスキンシップをはかります。

基 本

幸せなら手をたたこう（1番）

1. しあわせなら てをたたこう
   しあわせなら てをたたこう
   しあわせなら たいどでしめそうよ
   ほら みんなで てをたたこう

足、肩 、手、頬の順番で運動系の番地が大脳に並んで位置しています。歌いながらそれぞれの脳番地をまんべんなくイキイキさせることができます。

加藤せんせいのワンポイントアドバイス！

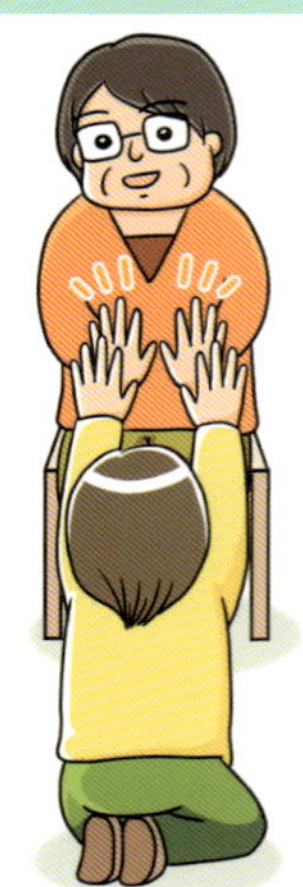

幸せなら手をたたこう（2番）

2. しあわせなら あしならそう
しあわせなら あしならそう
しあわせなら たいどでしめそうよ
ほら みんなで あしならそう

幸せなら手をたたこう（3番）

3. しあわせなら かたたたこう
しあわせなら かたたたこう
しあわせなら たいどでしめそうよ
ほら みんなで かたたたこう

幸せなら手をたたこう（4番）

4. しあわせなら ほっぺたたこう
しあわせなら ほっぺたたこう
しあわせなら たいどでしめそうよ
ほら みんなで かたたたこう

注意：お隣同士でほっぺを軽くたたき合います。なお、ほっぺをたたくときは、やさしくたたくように注意を促しましょう。

ステップアップ　少しスピードをアップする。

幸せなら手をたたこう（しあせならてをたたこう）

作詞：木村利人　　作曲：スペイン民謡　　編曲：有田　怜

幸せなら手をたたこう（歌詞）

1. 幸せなら 手をたたこう
   幸せなら 手をたたこう
   幸せなら 態度でしめそうよ
   ほら みんなで 手をたたこう
2. 幸せなら 足ならそう
   幸せなら 足ならそう
   幸せなら 態度でしめそうよ
   ほら みんなで 足ならそう
3. 幸せなら 肩たたこう
   幸せなら 肩たたこう
   幸せなら 態度でしめそうよ
   ほら みんなで 肩たたこう
4. 幸せなら ほっぺたたこう
   幸せなら ほっぺたたこう
   幸せなら 態度でしめそうよ
   ほら みんなで ほっぺたたこう

効果的に進めるコツ

体の該当部位が不自由な人には、違う方法も教えるとよいでしょう。

１番ごとに音楽を止め、スタッフは「次はどこをたたきますか？」もしくは「次はどこをならしますか？」と全員に呼びかけながら進めるなど、みんなが楽しめる工夫をしましょう。

第3章

歌と楽器を鳴らして楽しむ

この章では、楽器を用いたエクササイズをご紹介します。

ジャンベでご挨拶

このエクササイズの目的

ジャンベとは、西アフリカ一帯で伝統的に演奏されている太鼓です。お祭りや日常生活でも使われていますから、大人用のものから子供用の小さいものまであります。木をくりぬいて、主に山羊の皮が張られたシンプルな打楽器です。ストラップを使い立って使うこともできますが、座って演奏する場合には床に置いて全体をやや斜めにして使います。

準備すること

ジャンベ
（その他の打楽器でも可）。
円状に座ります。

誰でも音が出しやすく、リズム楽器ですので、色々な楽しみ方ができます。

加藤せんせいのワンポイントアドバイス！

基本

ジャンベを使って一人ひとりをまわりながら挨拶するリズム活動です。
円状に座っておこないます。

ステップアップ①

「こ・ん・に・ち・は」とジャンベを叩きながら挨拶します。
終わったら、次の人に楽器をまわしていきます。
打楽器であれば、ジャンベに限らず、団扇太鼓などいろいろな楽器が使えますので、工夫してみてください。

ステップアップ②

強く叩く、早く叩くなど、ルールを変えてみるのもよいでしょう。

効果的に進めるコツ

楽器であいさつするつもりで、楽しみながら音を出すようにしましょう。
また、次の人に楽器をまわすときには、一緒に手渡しを手伝うようにして、進行がスムーズになるように心がけましょう。

大布あそび

このエクササイズの目的

大きな布を円状に座ったみんなで動かすレクリエーションです。歌に合わせて上半身を大きく動かすことで、海のイメージが広がります。また、風船をのせたりすることで、ゲーム感覚で楽しみながら、反射神経などが養えるのも特徴です。

準備すること

青い直径5メートルの布（4枚の布を縫い合わせて作成）。
円状に座ります。

大布あそびは、脳の持続力を高めます。このエクササイズの時間があっという間に感じるようになると脳に体力がついたと意識できます。

加藤せんせいのワンポイントアドバイス！

基本

歌いながら、青い布を使えば、海のイメージが広がり、布の動きが視覚的にも楽しめます。

まず、布の大きさに合わせて輪になって座り、参加者がそれぞれ布の端を持ちます。
このとき青い布を使えば、海の雰囲気がよりでます。
参加者の人数が少ないときは、スタッフが参加して調整できるようにしましょう。
みんなで歌を歌いながら、曲のリズムに合わせて、上下に布を動かします。
大きく動かすほど大きなうねりが出ます。小さく上下させればさざなみのように見えます。
波のような動きができるように何回かやってみましょう。
どのくらい動かせばどのくらいの波ができるのかがわかってきます。
大きい動きと小さい動きを組み合わせてみる、布を動かす順番を変えてみるなどの工夫をしてみましょう。

ステップアップ

布の上に風船を1個～3個載せて、自分のところで風船が落ちないように競います。

基本と同じで布の大きさに合わせて輪になって座り、参加者がそれぞれ布の端を持ちます。
ステップアップとして、布の上に風船を乗せます。
布を動かすと風船も動いていき、どこに行くかはわかりません。
自分のところに来た風船を落とさないように、布を上下させてほかの人にパスします。
転倒などのトラブルが起きないよう、周りのスタッフは注意しましょう。
慣れてきたら、風船を2個、3個と増やしてみましょう。
思いがけないタイミングで風船が飛んでくるので、反射神経が養われます。
また、布の半分でグループに分かれたり、お向かい同士でチームになるなどして競い合うのも楽しいでしょう。
みんなで協力することでゲーム感覚も味わえるレクリエーションです。

楽曲 海（うみ）

作詞：林柳波　　作曲：井上武士

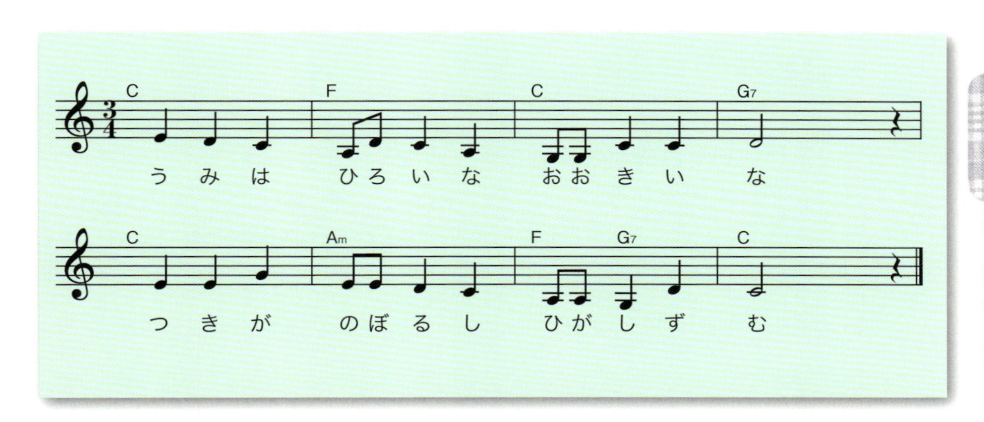

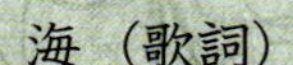

海（歌詞）

1. 海は広いな　大きいな 月がのぼるし　日が沈む	2. 海は大波　青い波 ゆれてどこまで続くやら	3. 海にお舟を浮かばして 行ってみたいな　よその国

効果的に進めるコツ

握力が弱い人はサポートできる人が付き添うとよいでしょう。

歌が終わった後、終了間際に「せーの」とスタッフが声をかけ、布を上に上げたまま、いっせいに手を離してもらいます。ふわりと浮かんでいるところをスタッフがサッと回収すると、ビジュアル的に面白い幕引きとなります。

リズムゲーム

タンバリンや鈴などの簡単な楽器を使い、スタッフのリズムを覚え、演奏することで、集中力が高まります。

準備すること

タンバリン（鳴子や鈴など、その他の打楽器でも可）。

「タン・タン・タン」と声に出しながらリズムに合わせます。
「タン」は強く、「タ」は弱く打つのがポイントです。

タン

強く

タ

弱く

タンバリンは聴覚系、つまり、聞く力を高めます。まねしてリズムに合わせるようにやることで聞く力がついてきます。

加藤せんせいのワンポイントアドバイス！

基本

「タン・タン・タン」と声に出しながら、楽器を鳴らしてお手本を見せます。そのあと、参加者にも「タン・タン・タン」と声に出しながら楽器を鳴らしていただきます。

ステップアップ①

より複雑なリズムに挑戦します。
「タン」は強く、「タ」は弱く打つのがポイントです。
まずは、「タン・タ・タ・タン」と強弱を組み合わせてみましょう。

タン　・　タ　・　タ　・　タン

慣れてきたら「タ・タ・タン・タン」と強弱の組み合わせを変えてみます。

タ　・　タ　・　タン　・　タン

「タン・タ・タ・タン・タン・タン」と数を増やしていきます。

タン・タ・タ・タン・タン・タン

徐々に複雑にしていきます。

タ・タ・タン、タ・タ・タン、タ・タ・タン、タン

タン・タ・タ・タン・タン、タン・タン・タン

ステップアップ②

輪になり、リズムが続くように順番に演奏していくのも、コミュニケーションがはかれて楽しいです。

効果的に進めるコツ

リズムが分かりやすいように、はじめはゆっくり大きな声で伝えるようにするとしやすいです。みんなのリズムが合わない場合には、同じリズムを繰り返し、手助けが必要な人には、近くでリズムを伝えるようにしましょう。

サウンドブロックで即興演奏体験

サウンドブロックは、「音積み木」とも言われています。木琴のように一枚の板をたたくと一つの音が出ます。一つ一つのブロックが独立しているため、自由に組み合わせて使うことができるのが特徴です。
特別な訓練がなくても音楽を奏でる楽しさが味わえます。また、一人での活動なので主役体験も味わえる満足感の高いレクリエーションです。

準備すること

琉球音階（沖縄民謡に使われる音階）で構成したサウンドブロック。
ブルース音階（ブルースで使われる音階）で構成したサウンドブロック。

即興演奏は、創造力を高めます。自分で奏でた演奏をもう一度同じにできる様にすると記憶力が高められます。

加藤せんせいのワンポイントアドバイス！

基本

琉球音階は沖縄民謡に使われる音によって構成されています。沖縄民謡は三線を弾きながら、歌ったり踊ったりするので、音階としては大変シンプルです。この音階のサウンドブロックを使うと、思いついたままに即興で演奏しても、「沖縄民謡」風の演奏ができます。「はいさっさー」「えいさっさー」などの沖縄民謡独特の掛け声を掛けるとより、沖縄民謡の雰囲気が出て楽しめます。

ブルース音階も同じように、即興で演奏しても、しっとりとしたブルースの雰囲気を味わうことができます。

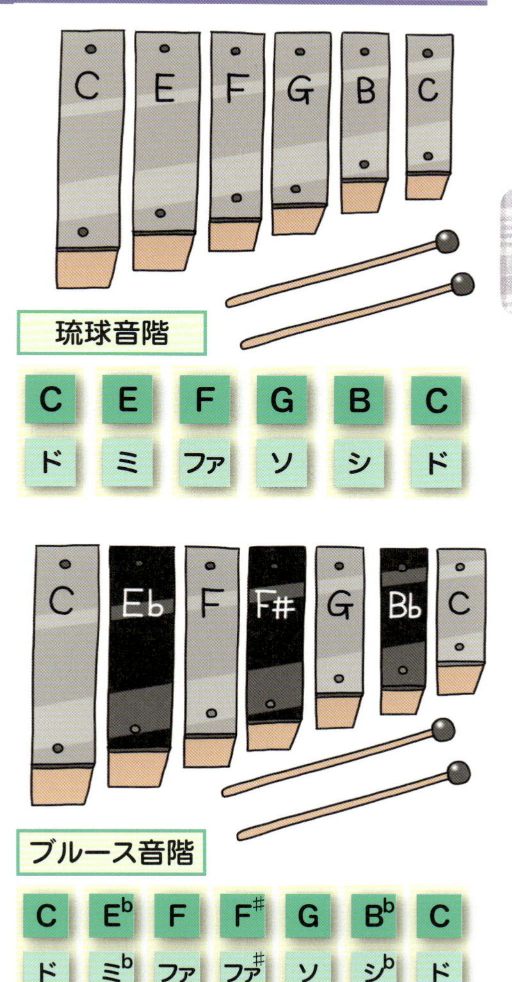

効果的に進めるコツ

テンポ良く鳴らせば、ブルース風や沖縄民謡風の音が、だれでも簡単に奏でられるので、みんなで聞きくらべることも楽しめます。

3コードでトーンチャイム合奏

トーンチャイムは、アルミ合金でできたパイプをたたいて共鳴させる楽器です。やわらかく響く美しい音色をしています。軽くて使いやすく、演奏もしやすいのが特徴です。ハンドベルよりも音が小さく柔らかいので、レクリエーションには向いています。癒し系の静かな落ち着いた音楽に用いると、魅力的です。

このエクササイズの目的

トーンチャイムを使い、春らしい柔らかな音色を楽しみながら、合奏を楽しむ。

準備すること

トーンチャイム
色分けされた歌詞幕

ハ長調、ト長調、ヘ長調によってⅠ度・Ⅴ度・Ⅳ度の音階は変わります。

ストレスが溜まっているときには、ゆったりした気持ちで、吐く息を長くするように合奏すると、脳に酸素が送られ疲れがとれます。

加藤せんせいのワンポイントアドバイス！

基本

トーンチャイムを和音ごとに3つのグループ（Ⅰ度・Ⅴ度・Ⅳ度）に分け、音の違いや、自分の順番を確認します。

ステップアップ① 「春の小川」を合奏する

※このエクササイズで使う「春の小川」と「花」は3つのコードで演奏できるようにアレンジされています。

楽曲 春の小川（はるのおがわ）

作詞：髙野辰之　　作曲：岡野貞一

※ト長調　赤 ソ・シ・レ　青 レ・ファ#・ラ　黄 ド・ミ・ソ

春の小川

（大正元年）

はるのおがわは
さらさらいくよ
きしのスミレや
レンゲのはなに
すがたやさしく
いろうつくしく
咲いているねと
ささやきながら

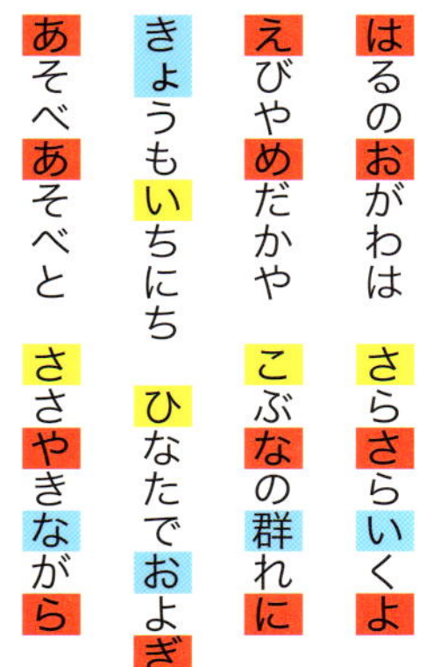

ステップアップ② 「花」を合奏する

花（はな）

作詞：武島羽衣　　作曲：滝廉太郎

※へ長調　赤 ファ・ラ・ド　青 ド・ミ・ソ　黄 シ♭・レ・ファ

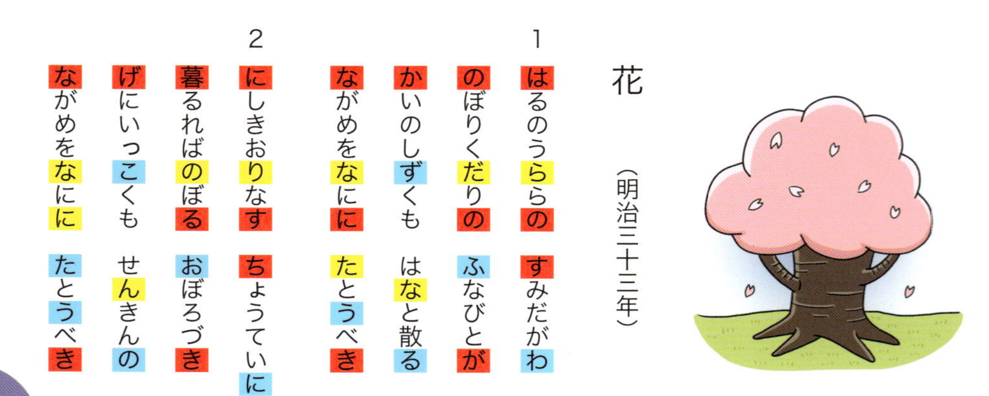

花

（明治三十三年）

1

はるのうららの　すみだがわ
のぼりくだりの　ふなびとが
かいのしずくも　はなと散る
ながめをなにに　たとうべき

2

にしきおりなす　ちょうていに
暮るればのぼる　おぼろづき
げにいっこくも　せんきんの
ながめをなにに　たとうべき

赤＝I度（トニック）
青＝V度（ドミナント）
黄＝IV度（サブドミナント）

効果的に進めるコツ

それぞれのグループの音を出す部分を色分けした歌詞幕を用意すると分かりやすいでしょう。
失敗しながらも、繰り返していくうちに、グループ同士も仲良くなり、合奏が成功した時は喜びを味わえます。
苦手な人がいた場合には、遅れると音が目立ってしまうので、近くについて合図をするなどの配慮が必要です。

CD 14

8つのトーンチャイムで合奏

3コードの合奏になれたら、次は、8つのグループに分けてバッヘルベルの「カノン」を合奏します。この曲は、広く親しまれており、クラシック音楽の入門曲として取り上げられます。また、静かで優しい曲なので、卒業式や結婚披露宴のBGMに使われることも多い曲です。

準備すること

ド・ソ・ラ・ミ・ファの音階のトーンチャイム

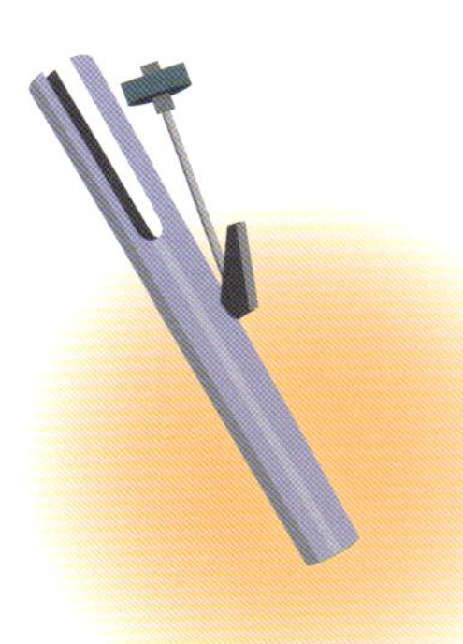

AKB48のダンスのように、みんなで同じ動きができる様に意識すると、右脳の前頭葉がもっと刺激されます。

加藤せんせいのワンポイントアドバイス！

	(ド) C	(ソ) G	(ラ) Am	(ミ) Em
	(ファ) F	(ド) C	(ファ) F	(ソ) G_7

基本

4人または8人で、ド・ソ・ラ・ミ・ファ・ド・ファ・ソ　の順にトーンチャイムを鳴らします。

効果的に進めるコツ

順番に鳴らすとパッヘルベルのカノン風の演奏になるエクササイズです。順番や調子を合わせるのが苦手な人には、近くで合図するなどのサポートをしましょう。

トーンチャイムバレー

このエクササイズの目的

上半身や腕を大きく使うので身体運動の一環として楽しくできます。また、いつ、風船が来るかわからないので集中して取り組むことができます。ただのスポーツと違い、奏でられるハーモニーを味わいながら、身体を動かせるのが魅力的なレクリエーションです。

準備すること

- トーンチャイム
- 風船（割れてもいいように数個）
- 円状に椅子を配置

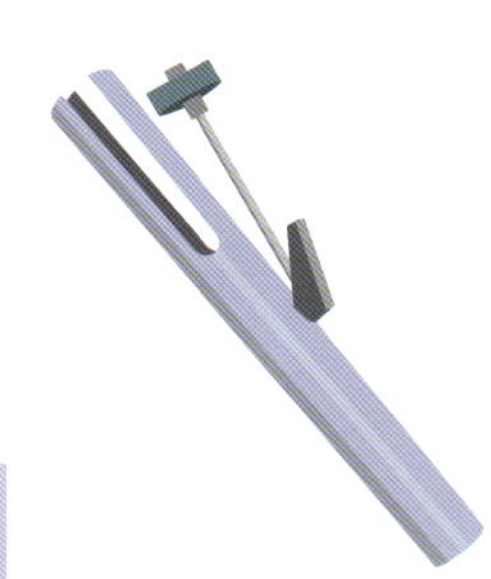

毎回違うハーモニーが楽しめます！偶然が生み出すハーモニーを楽しむのと同時に身体を動かすことができるのがポイントです。

このエクササイズで単純に体を動かすだけでなくバランス感覚を刺激する運動をすることで、小脳や大脳基底核などの脳の深部を刺激することができます。

加藤せんせいのワンポイントアドバイス！

基本

トーンチャイムバレーとは、円状に座り、手ではなくトーンチャイムをラケット代わりに、風船を打ち合うバレーボールのような活動です。

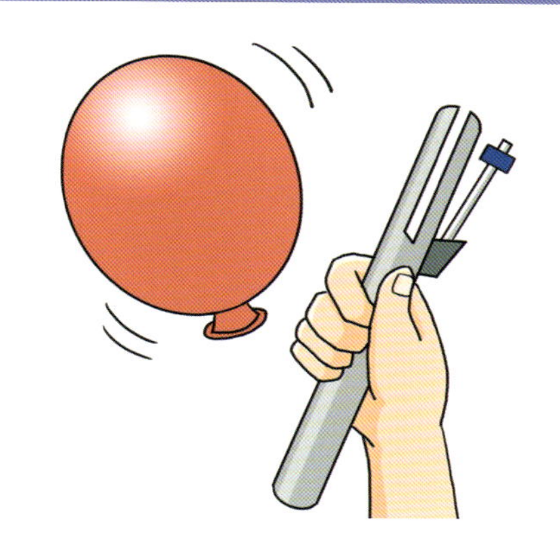

効果的に進めるコツ

椅子に座っている人が活動中に転ばないように、スタッフがサポートできるように体制を整えましょう。
音も楽しめるように、トーンチャイムは和音になるように配ります。

楽器を手作りしてみよう！

マラカス

用意するもの

紙コップ2つ

ガムテープ

小豆・大豆・ビーズなど

作り方

紙コップの片方に小豆などを入れます。
上にもう一個の紙コップをのせ、ガムテープでぐるりとつなぎます。

※小豆などを入れる量によって音が変わります。色々工夫してみると楽しいでしょう。
※紙コップにあらかじめ絵を描いたり、マスキングテープやシールなどで柄をつけると自分のだとわかりやすく、作業も楽しめます。
※ガムテープも色のついているものや、柄がついているものを使うと楽しいでしょう。

マラカス完成図

第4章

グループで楽しむ

この章では、グループセッションでのコツやテクニックなどをお伝えします。

グループでのコミュニケーションでは、常にグループ全体を意識して導いていくところにポイントがあります。
たとえばお一人とお話をしているときには、片方の目ではその人を見ていても、もう片方の目では常に全体を意識していくようなつもりで、その人との会話を全体に返していくようにします。

例：Aさん「わたしは京都の生まれでね」
　　スタッフ「Aさんは京都のお生まれなのですね。京都のどちらですか？」
　　Aさん「伏見なんですよ」
　　スタッフ「伏見なんですね。お隣のBさんはどちらですか？」

というように、一人からの発言を全体に広げていくことで、参加できていない人がいないように留意し、グループ全体の集中力を高めていきます。

交互唱で歌あそび

このエクササイズの目的

チームに分かれて「浦島太郎」と「桃太郎」を、1 行ずつ（2 小節ずつ）交互に歌っていきます。集中力を高め、認知症予防に効果が期待できる活動です。

準備すること

グループを「浦島太郎チーム」と「桃太郎チーム」の2つに分けます。

慣れてきたらチームのメンバーを入れかえてみましょう。違うチームになったときに、つられないようにするのもまた楽しめます。

年を重ねると2つのことを同時にすることがおっくうになります。これは作業記憶が低下することと関係しています。交互唱をできるようにすることで、作業記憶を高めます。

加藤せんせいのワンポイントアドバイス！

基本

1行ずつ（2小節ずつ）、「浦島太郎チーム」と「桃太郎チーム」が交互に歌います。

2曲とも似た曲なので、相手チームの歌に引っ張られないように、しっかりと自分のチームの曲を歌うことがポイントです。

浦島太郎チーム　:「むかし　むかし　浦島は」
桃太郎チーム　:「桃太郎さん　桃太郎さん」

浦島太郎チーム　:「助けた亀に　連れられて」
桃太郎チーム　:「お腰につけた　きび団子」

浦島太郎チーム　:「竜宮城へ　来てみれば」
桃太郎チーム　:「一つわたしに　下さいな」

浦島太郎チーム　:「絵にもかけない　美しさ」

ステップアップ

少しずつスピードを上げていくと、集中力がより高まり、重なってしまうようなことがあっても、またそれがみなで笑い合える楽しさにつながります。

浦島太郎（うらしまたろう）

作詞・作曲：文部省唱歌

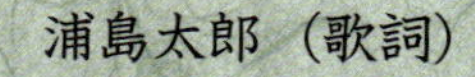

浦島太郎（歌詞）

1. 昔昔、浦島は
助けた亀に連れられて、
龍宮城へ来てみれば、
絵にもかけない美しさ

2. 乙姫様の御馳走に、
鯛や比目魚の舞踊、
ただ珍しくおもしろく
月日のたつのも夢の中（うち）

桃太郎（ももたろう）

作詞：文部省唱歌　　作曲：岡野貞一

桃太郎（歌詞）

1. 桃太郎さん　桃太郎さん
お腰につけた　きび団子
一つわたしに　下さいな

2. やりましょう　やりましょう
これから鬼の征伐に
ついて行くなら　やりましょう

効果的に進めるコツ

歌詞の長さが違うので、必ず「浦島太郎」から始めるようにしましょう。
また上手にできたことを賞賛して、拍手して、達成感にアプローチしていきましょう。

オリジナル歌詞作り

夢や希望をそれぞれの方に聞き、それを元に「タナバタサマ」の曲に合わせてオリジナルの歌詞を創作していく活動です。

記憶力は２つに分けて考えられます。すでに過ぎたことをもう一度思い出す記憶力とこれから明日に向かって未知の経験をして新しい記憶を作る力です。オリジナル歌詞作りは、創造的な記憶力を高めます。

加藤せんせいのワンポイントアドバイス！

準備すること

ホワイトボード

基 本

最初に「タナバタサマ」の曲を使うことは言わずに、これからの夢や希望、してみたいことや、行ってみたいところ、食べたいもの、なんでもいいのでお話をうかがっていきます。
「今一番したいことはなんですか?」
「これからやってみたいことがありますか?」
「夢はなんですか?」
「今食べたいものあります？」
と、具体的な答えが出るような質問をします。参加している方お一人お一人にうかがいましょう。
答えを聞いたら、ホワイトボードに「タナバタサマ」の歌詞の音数に合わせて書きます。１文字ぐらいは多くてもかまいません。最後に「実はこの曲が合うんです」と「タナバタサマ」の曲に合わせて歌うことを明かします。
できあがったら、「タナバタサマ」の曲に合わせて歌います。

タナバタサマ

作詞：権藤はなよ　　作曲：下総皖一

効果的に進めるコツ

「海外旅行に行きたいわ」という人がいた場合は、「なるほど『旅行に行きたい』ですね」とし、「いつまでも健康でいたいんだよ」という言葉には「『健康第一』としましょう」とするなど、曲と調子が合うよう、調整しましょう。

全員が参加できるように、参加者の人数に合わせて2番、３番も作るのも必要です。

できあがった歌詞を参加者全員からに見やすいように大きく書いてあげるのも大事です。

入れ替え唱で歌あそび

歌詞の文字数が同じ２つの曲を用いて、それぞれのメロディと歌詞を入れ替えて歌う活動です。今回は、「炭坑節」と「赤とんぼ」という全く内容の異なる２曲を使います。

準備すること

「炭坑節」と「赤とんぼ」など、曲調は違うけれど、歌詞の文字数が同じ歌。

入れ替え唄は、文章を作る能力と会話に必要な瞬発力を高めます。とっさに言葉が出てこない人は、しっかり入れ替え唄で訓練してみましょう。

加藤せんせいのワンポイントアドバイス！

文字数が同じならば、色々な組み合わせが可能ですので、例えば、「どんぐりころころ」と「水戸黄門」のテーマソングなどでも入れ替えて唄うことができます。そういう曲を探してみるのも面白いでしょう。

まずはそれぞれの曲を何度か流してみましょう。そのときに歌詞は歌わずにハミングをして曲をしっかり覚えます。
両方聞いてみるとよくわかりますが、「赤とんぼ」の方が曲調が静かで「炭坑節」のメロディの方が印象に残りやすいです。
「炭坑節」の曲に「赤とんぼ」の歌詞で歌う方がよいでしょう。「赤とんぼ」の曲に「炭坑節」の歌詞を合わせる方がもともとの「炭坑節」のメロディに戻ってしまいやすいかもしれません。何度も聞いて曲を頭に入れた上で、チャレンジするとスムーズにいくようです。

基本　炭坑節のメロディで赤とんぼの歌詞

まずは、リズムのある「炭坑節」のメロディで「赤とんぼ」を歌ってみましょう。

楽曲　炭坑節（たんこうぶし）※歌詞は赤とんぼ

作詞・作曲：福岡県民謡

炭坑節（歌詞）

1. 月が出た出た 月が出た（ヨイヨイ）
   三池炭坑の 上に出た
   あまり煙突が 高いので
   さぞやお月さん けむたかろ
   （サノヨイヨイ）

2. あなたがその気で 云うのなら（ヨイヨイ）
   思い切ります 別れます
   もとの娘の 十八に
   返してくれたら 別れます
   （サノヨイヨイ）

ステップアップ　赤とんぼのメロディで炭坑節の歌詞

次に、「赤とんぼ」の曲に乗せて、「炭坑節」を歌います。
リズムがゆっくりしているので、こちらのほうが難しく感じるかもしれません。

楽曲　赤とんぼ（あかとんぼ）※歌詞は炭鉱節

作詞：三木 露風　　作曲：山田耕筰

赤とんぼ（歌詞）

1. 夕やけ小やけの 赤とんぼ
（ヨイヨイ）
負われて見たのは いつの日か

2. 山の畑の 桑の実を
小篭に摘んだは まぼろしか
（サノヨイヨイ）

効果的に進めるコツ

初めに曲を流したときに、その曲の歌詞で歌ってしまうと、あとで歌詞を入れ替えにくくなります。
最初はハミングで曲を覚えるようにしましょう。

赤とんぼの歌詞朗読

幼い頃の体験などを思い出す。

準備することと

- 「赤とんぼ」の歌詞を大きく書いた歌詞幕
- ホワイトボード
- 円状に椅子を配置

「赤とんぼ」は、考える力をアップしてくれます。幼い頃の体験だけでなく、歌詞を朗読しながらできるだけ多くのことを思い出してみましょう。

加藤せんせいのワンポイントアドバイス！

基本

「赤とんぼ」の歌詞を一緒に朗読。

1、夕やけ小やけの
赤とんぼ
負われて見たのは
いつの日か

歌詞の情景がイメージしやすいように、質問を投げかけます。
例えば、「ここでいう『負われて』とはどういう意味でしょう?」
「これは『背負われて』という意味で、誰かの背中におんぶされて、夕焼けの中で赤とんぼを見たと、思い出しているのですね」
「おんぶされるほどの小さかった頃のことを、『あれはいつの頃のことだったかな』と懐かしく思い出しているのでしょうね」とまとめをし、イメージをふくらませてもらいます。

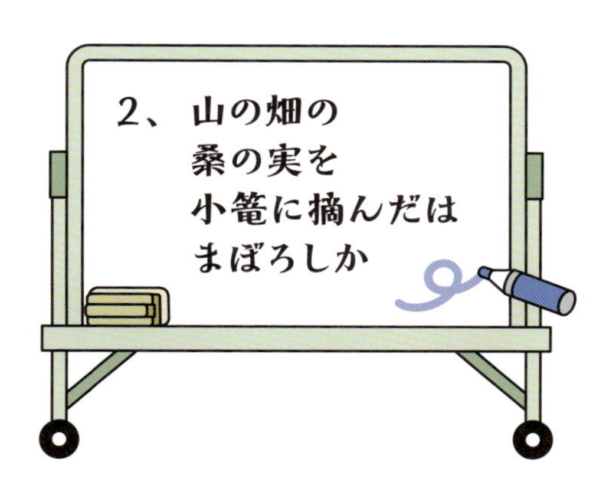

今度の歌詞は、少し成長した「自分」の様子です。
少し成長した「自分」が小篭を背負っています。
山や畑に桑の実を採りに行ったとき、「そういえば赤とんぼがいたなぁ」と、思い出している場面です。
※「皆さん、桑の実を採りにいたことはありますか?」等の質問で、回答者の体験と重なるよう工夫しましょう。

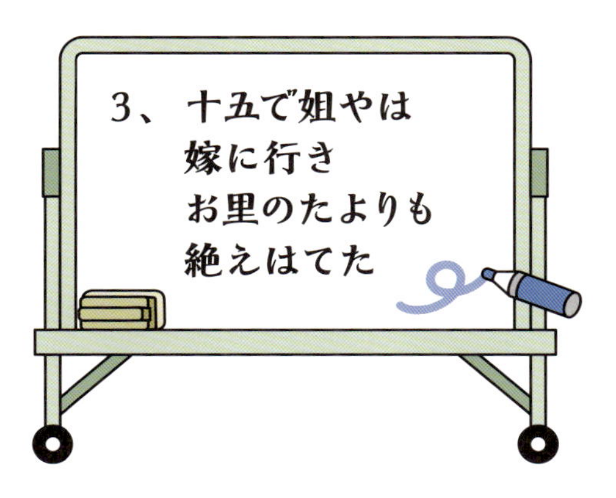

ここでいう「姐や」とは実はお姉さんではなくて「子守りさん」のことです。
昔は兄弟が多く、8人兄弟なども珍しくありませんでした。人手が足りない家では、15～16歳くらいの女の子が花嫁修業も兼ねて、子守りや家事手伝いをして働くこともあったそうです。
その子守りで親しんだ「姐や」が、15歳になってお嫁に行ってしまいました。だからここの「お里のたより」も「姐や」のお里の便りなのです。
「姐や」がここで働いている間、母親から手紙が届いていたけれど、「姐や」が嫁いで出て行ったので、「姐や」あての手紙も送られてくることが無くなったということがこの3番の歌詞の内容です。
さらに「1番の歌詞で背負われていたのは、この姐やに背負われていたのかもしれない」とか、「この語り手は姐やに懐いていたのだな」と想像を膨らませることもできます。みんなの意見も聞きながら、淋しく思う様子をイメージしていきましょう。

ここではじめて（語り手の）現代に帰ってきます。
竿の先にとまっている赤とんぼを見て「そういえば子どもの頃、こんなことがあったなぁ」と思い出しているのが4番です。
「皆さんの家には「姐や」はいましたか?」「桑の実は食べましたか?」などと問いかけをし、歌詞のイメージを大事にしながら「では、皆さんが幼かった頃を思い出しながら、一緒に歌ってみましょう」と進めます。

赤とんぼ（あかとんぼ）

作詞：三木 露風　　作曲：山田耕筰

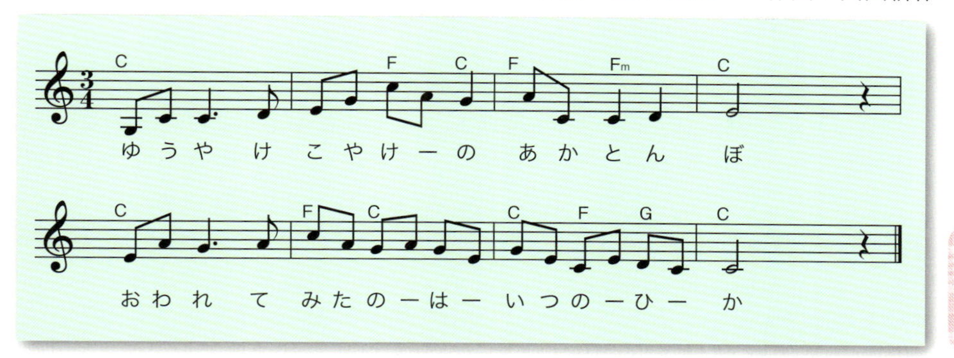

赤とんぼ（歌詞）

1.夕やけ小やけの 赤とんぼ
負われて見たのは いつの日か
2.山の畑の 桑の実を
小篭に摘んだは まぼろしか
3.十五で姐やは 嫁に行き
お里のたよりも 絶えはてた
4.夕やけ小やけの 赤とんぼ
とまっているよ 竿の先

効果的に進めるコツ

最初には、歌うのではなく、歌詞を朗読するのがコツです。曲のイメージではなく、歌詞の内容を確認するためには、参加者全員で一緒にこえにだしてよんでみましょう。

また、ただ説明するだけではなく、みんなが参加してイメージをふくらませるために、「どんな情景か」を質問するとよいでしょう。色んな意見を聞き、最後にその歌詞の様子のまとめをしていくと、共通の認識ができます。

CD 19

主役体験活動

セリフ入りの歌で主役体験

このエクササイズの目的

曲のセリフの部分を参加者のお一人に担当していただき、自分にスポットライトが当たることが自覚される、主役体験をしてもらうことが狙いです。
張り切って演じていただけた場合などは、同じグループの仲間がその人を誇らしく思うでしょう。

人前に出て行動することで、多くの情報が自分の脳に入ります。自分に注目してくれるひとの表情まで意識しながら歌ってみましょう。脳全体の活動性がアップします。

加藤せんせいのワンポイントアドバイス！

準備すること

「君といつまでも」など、セリフの入った曲の歌詞を印刷したもの。

基本

あらかじめ、間奏の間のセリフをいう人を一人決めておきます。歌の部分はみんなで一緒に歌います。
間奏のところに入ったら、決めていた方に次のセリフを言ってもらいます。

「幸せだなァ
僕は君といる時が一番幸せなんだ
僕は死ぬまで君を離さないぞ
いいだろ」

君といつまでも（楽曲）

ふたりを夕やみが　つつむ　この窓辺に
あしたも　すばらしい　しあわせがくるだろう

君のひとみは　星とかがやき
恋する　この胸は　炎と燃えている
大空そめてゆく　夕陽いろあせても
ふたりの心は　変らない　いつまでも

(セリフ)「幸せだなァ　僕は君といる時が　一番幸せなんだ
僕は死ぬまで君を　離さないぞ、いいだろ」

君はそよかぜに　髪を梳(す)かせて
やさしく　この僕の　しとねにしておくれ
今宵も日がくれて　時は去りゆくとも
ふたりの想いは　変らない　いつまでも

君といつまでも（きみといつまでも）

作詞：岩谷時子　　作曲：弾厚作

※このエクササイズに使える「セリフ入り」の曲

○男性が主役の歌

「瞼の母」

「一本刀土俵入り」

「娘よ」

「悲しい酒」

「嵐を呼ぶ男」

「母に捧げるバラード」

「君たちがいて僕がいた」

「浪花しぐれ『桂 春団治』」

○女性が主役の歌

「岸壁の母」

「東京だよおっかさん」

「リンゴ追分」

「花街の母」

「月の法善寺横町」

○デュエットソング

「浪花恋しぐれ」

効果的に進めるコツ

間奏でセリフを言う歌は昭和の歌謡曲にはいくつかあります。セリフを言う役割は順番にするか、曲ごとに決めるのでも面白いでしょう。

また、情感たっぷりになりきって演じてもらうようお願いし、スタッフが率先して周囲の方にも拍手をうながすようにしましょう。主役観を味わえるよう、立ち上がれる方には、立って言ってもらう、セリフにあわせたアクションをつけてもらうなどの工夫も、盛り上がるためのコツです。

日本全国歌めぐり

このエクササイズの目的

日本地図を見ながら、日本各地を話題にし、思い出を語り合ったり、共有したりすることで仲間意識を高め、いろいろなところを旅するように一緒に歌う活動です。

認知症で徘徊するようになっている方は、場所の感覚が乏しく、地図が読めなくなっています。日本地図を意識しながら全国の歌に触れて、地理感覚を磨きましょう。

加藤せんせいの
ワンポイント
アドバイス！

準備すること

- 日本地図
- 各地の民謡の歌詞幕

北海道【ソーラン節】
山形【花笠音頭】
新潟【佐渡おけさ】
長野【木曽節】
大阪【河内音頭】
福岡【九州炭坑節／黒田節】
福島【会津磐梯山】
群馬【草津節】
東京【東京音頭】
山梨【武田節】
熊本【五木の子守唄】

北海道 青森 秋田 岩手 山形 宮城 福島 新潟 石川 富山 群馬 栃木 長野 茨城 埼玉 東京 千葉 神奈川 山梨 福井 岐阜 愛知 静岡 滋賀 京都 三重 奈良 大阪 和歌山 兵庫 鳥取 島根 岡山 広島 山口 香川 徳島 愛媛 高知 福岡 佐賀 長崎 大分 熊本 宮崎 鹿児島

基本

例：日本地図を見ながら、各地の名産物や名所を話題にして、その土地の民謡を歌う。

北海道	ソーラン節　乳製品・酪農・海の幸・札幌ラーメン・五稜郭（ごりょうかく）・ラベンダー
秋　田	ドンパン節　きりたんぽ鍋・ハタハタ・なまはげ・秋田小町
山　形	花笠音頭　さくらんぼ・ぶどう・西洋梨・将棋
福　島	会津磐梯山　もも・りんご・常磐ハワイアンセンター・野口英世・白虎隊
東　京	東京音頭　雷門・東京タワー・銀座・日本劇場・スカイツリー・上野動物園・東京オリンピック・東京ドーム
山　梨	武田節　富士山・諏訪湖・ぶどう・武田信玄・ワイン
群　馬	草津節　草津温泉・だるま・スイカ
長　野	木曽節　りんご・八ヶ岳・スキー・松本城・諏訪湖（すわこ）
新　潟	佐渡おけさ　コシヒカリ・雪国・スキー
大　阪	河内音頭　お好み焼き・たこ焼き・グリコ・道頓堀・甲子園・ユニバーサルスタジオジャパン
京　都	祇園小唄　八橋・しば漬け・清水寺・金閣寺・祇園祭・大文字の送り火
高　知	よさこい節　阿波踊り・四万十川・なす・ゆず・鰹・土佐犬・よさこい祭
福　岡	九州炭坑節／黒田節　明太子・博多ラーメン・いちご・博多人形・博多どんたく
熊　本	五木の子守唄　熊本城・阿蘇山・焼酎

ソーラン節（歌詞）

ヤーレンソーランソーラン　ヤレン　ソーランソーラン　ハイハイ
にしん来たかと鴎に問えば　わたしゃたつ鳥　エー　波に聞け
チョイヤサエンヤ——ァサーァのドッコイショ
ハードッコイショドッコイショ

ヤーレンソーランソーラン　ヤレン　ソーランソーラン　ハイハイ
舟も新らし乗り手も若い　一丈五尺のろもしなるチョイ
チョイヤサエンヤ——ァサーァのドッコイショ
ハードッコイショドッコイショ

ヤーレンソーランソーラン　ヤレン　ソーランソーラン　ハイハイ
沖の暗いのは北海あらし　おやじ帆を曲げぇかじをとれチョイ
チョイヤサエンヤ——ァサーァのドッコイショ
ハードッコイショドッコイショ

ヤーレンソーランソーラン　ヤレン　ソーランソーラン　ハイハイ
おやじ大漁だ昔と違う　獲れた魚はおらがものチョイ
チョイヤサエンヤ——ァサーァのドッコイショ
ハードッコイショドッコイショ

北海道の日本海沿岸には、春になるとニシンが産卵のために、大群となって押し寄せてきます。その時に漁師さんたちが網を上げる息を合わせるために歌われたものです。荒々しい漁の様子が伝わってきます。最近では、この歌にあわせた振りをつけ、小学校の運動会などでもソーラン節を踊ることが増えてきました。

草津節（歌詞）

草津よいとこ　一度はおいで　ドッコイショ
お湯の中にも　コリャ
花が咲くよ　チョイナ　チョイナ
錦織りなす（にしきおりなす）　草津の広野（ひろの）　ドッコイショ
浅間の煙も　コリャ
あかね染めよ　チョイナ　チョイナ

春は嬉しや　さわらびつゝじ　ドッコイショ
そして折り目の　コリャ
二人連れよ　チョイナ　チョイナ

お医者さまでも　草津の湯でも　ドッコイショ
惚れた病は　コリャ
治りゃせぬよ　チョイナ　チョイナ
惚れた病も　治せば治る　ドッコイショ
好いたお方と　コリャ
添りゃ治る　チョイナ　チョイナ

湯もみ馴染みが　妹山背山　ドッコイショ
松の木の間を　コリャ
わらび狩りよ　チョイナ　チョイナ
ちょいなちょいなは　どこからはやる　ドッコイショ
草津温泉　コリャ
湯もみからよ　チョイナ　チョイナ

草津節
湯治で有名な草津温泉で作られた歌です。温泉の高温の湯を、板でかき回して適温にする「湯もみ」をする時歌われる唄の一つになります。

作詞・作曲：北海道民謡

網を引っ張る動作をしながら歌うのも、身体を動かすことでリズムに乗りやすくなります。
また、スタッフがソーラン節の踊りを一緒に歌いながら見せるのも楽しいレクリエーションになるでしょう。

楽曲

草津節（くさつぶし）

作詞・作曲：群馬県民謡

「湯もみ」を草津温泉で実際に見たことある方がいるか質問するところから始めると入りやすいです。
もし見たことがない方がいらしたら、「湯もみ」の様子の写真を見せたり、動作をして見せたりすると、歌詞のイメージがふくらむでしょう。

効果的に進めるコツ

まずは、日本地図を眺めてもらい、「行ったことあるところ」「出身地」など思い出のある県を聞いてみます。
その中で、「何が美味しかったですか？」「どこを観光しましたか？」「おすすめの場所がありますか？」などの質問をし、行ったことがない人でもイメージが作りやすいようにすると、楽しく進められます。
また、ソーラン節は歌に合わせた踊りがありますし、草津節は、板で湯をかき回す動作をいれても、楽しいレクリエーションとなるでしょう。

音楽回想法①

幼少時代を振り返る

新しいことを覚えるのが少し苦手になってきている高齢者でも、若い頃の記憶は明確に残っている場合が多いようです。
これが認知症の方だと、記憶の扉に鍵がかかった状態になっていて、外からの働きかけがなければ、その鍵を開けることが難しくなっています。
しかし音楽は、その記憶の鍵を開ける力を発揮することがあります。
たとえば皆さんも、青春時代に流行していた歌を聴いて、当時のことが鮮明によみがえったり、昔の恋人が好きだった歌を聴いて、その恋人のことを懐かしく思い出したりした経験はありませんか？
音楽を用いた回想の活動では、この「音楽による記憶想起」を利用します。
音楽と、音楽に連動した話題でお一人お一人とコミュニケーションをとり、またそれを全員に還元することで、普段の会話では出てこないような発言や感情を引き出していく活動です。

準備すること

「仰げば尊し」と「くつがなる」の歌詞幕

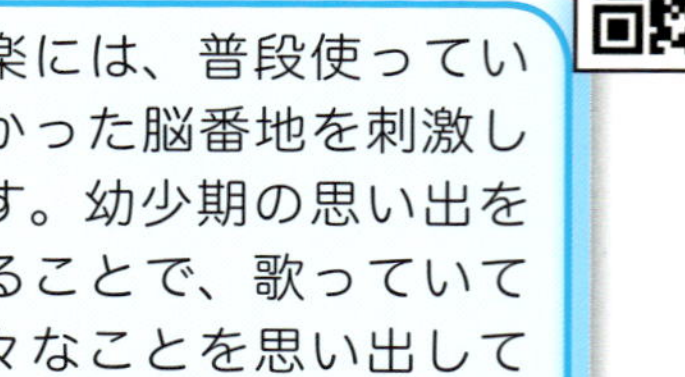

音楽には、普段使っていなかった脳番地を刺激します。幼少期の思い出を語ることで、歌っていて様々なことを思い出しても不思議ではありません。

加藤せんせいのワンポイントアドバイス！

基本

「仰げば尊し」をみんなで歌います。
そのあと、「『仰げば尊し』はどんなときに歌いましたか?」などの質問で過去の記憶とリンクさせていきます。
たとえば「卒業式で歌いました」と返事があれば、「卒業式の様子を覚えていますか?」「学生時代に怖い先生はいましたか?」など質問をつなげていくとよいでしょう。

仰げば尊し

「仰げば尊し」は、明治17年に発表された文部省唱歌です。卒業生が先生方に感謝し、学校生活を振り返る内容の歌なので、学校の卒業式で広く歌われ、親しまれてきました。

ステップアップ

「くつがなる」を歌います。そのあとに「子どもの頃はどんな遊びをしましたか?」「子どもの頃はどんな男の子(お嬢さん)でしたか?」などの質問で音楽に連動させて、いろいろなことを思い出してもらいましょう。

くつがなる

子どもたちが仲良く手をつなぎながら歩き、靴音を鳴らす情景を、小鳥やウサギになるというたとえを使って可愛らしさを表現しています。

仰げば尊し（あおげばとおとし）

作詞・作曲：文部省唱歌

仰げば尊し（歌詞）

1. あおげばとうとし　わが師の恩
教えの庭にも　はやいくとせ
思えばいと疾し　この年月
今こそわかれめ　いざさらば

2. たがいにむつみし　日ごろの恩
わかるる後にも　やよわするな
身をたて名をあげ　やよはげめよ
今こそわかれめ　いざさらば

3. 朝夕なれにし　まなびの窓
ほたるのともしび　つむ白雪
わするるまぞなき　ゆく年月
今こそわかれめ　いざさらば

くつが鳴る（歌詞）

1. お手（てて）つないで
野道を行（ゆ）けば
みんな可愛（かわ）い
小鳥になつて
歌をうたえば　靴が鳴る
晴れたみ空に　靴が鳴る

2. 花をつんでは
お頭（つむ）にさせば
みんな可愛（かわ）い
うさぎになつて
はねて踊れば　靴が鳴る
晴れたみ空に　靴が鳴る

楽曲 くつが鳴る（くつがなる）

作詞：清水かつら　　作曲：弘田龍太郎

効果的に進めるコツ

思い出を引き出せるように、一度全員で歌ってみます。
質問は具体的にすると良いでしょう。
順番にみんなの話が聞けるように、一人が長く話すときには、うまくまとめ、みんなの話が聞けるようにしていくと、それぞれのリハビリにつながっていきます。また、後日の話題にもつながっていきます。

恋愛や結婚の話題

このエクササイズの目的

幼少時代に楽しい思い出のある人もいれば、結婚生活や子育ての中での記憶が強く残っている方もいます。ここでは、恋愛時代や結婚生活の思い出を思い返してもらい、歌と共に幸せな記憶をとりもどしてもらいます。

楽しい思い出は脳をイキイキとさせます。できるだけ多くの楽しい思い出を脳の引き出しから取り出してみましょう。

加藤せんせいのワンポイントアドバイス！

準備すること　「瀬戸の花嫁」の歌詞幕

基本

まずは、参加者全員で歌いましょう。

昔はお見合い結婚と恋愛結婚が半々くらいでした。配偶者が既に亡くなっている方や独身の方もいらっしゃいます。事前に調査した参加者情報をもとに配慮しましょう。その上で、歌に関連する話題として「お見合い結婚なさった方?」や「恋愛結婚なさった方?」と挙手を求めて、手を上げた方に質問するようにしましょう。

「お見合い結婚でしたか?　恋愛結婚でしたか?」

「相手のどんなところに惹かれて結婚を決めましたか?」

独身の方などには、

「初恋の人のことを覚えていますか?」などの質問で過去の記憶とリンクさせるようにします。

そのうえで、「それでは新婚時代に戻ったつもりで歌いましょう」等でつなげ、気分をもりあげてもう一度歌います。

瀬戸の花嫁（せとのはなよめ）

作詞：山上路夫　　作曲：平尾昌晃

瀬戸の花嫁（歌詞）

1. 瀬戸は日暮れて　夕波小波
あなたの島へ　お嫁にゆくの
若いと誰もが　心配するけれど
愛があるから　大丈夫なの
段々畑と　さよならするのよ
幼い弟　行くなと泣いた
男だったら　泣いたりせずに
父さん母さん　大事にしてね

2. 岬まわるの　小さな船が
生まれた島が　遠くになるわ
入江の向うで　見送る人たちに
別れ告げたら　涙が出たわ
島から島へと　渡ってゆくのよ
あなたとこれから　生きてくわたし
瀬戸は夕焼け　明日も晴れる
二人の門出　祝っているわ

効果的に進めるコツ

戦争を体験された高齢者の中には、辛く悲しい恋愛経験をされた方も少なくありません。
また、生涯独身の方もいるので、「お見合い結婚の人」「恋愛結婚の人」と挙手してもらい、手を上げた人に話題をつなげるようにすると盛り上がりやすいでしょう。
「どんな方でした？」「はじめて会った印象は？」「素敵な方ですね」というように幸せな思い出につなげていくような質問を工夫すると良いでしょう。

第5章

1年の季節・行事を歌で楽しむ（12ヵ月を楽しむ）

この章では、1年を通した季節の曲や話題をご紹介します。

日本は春夏秋冬がはっきりとしており、それぞれの季節と深く結びついた歌もたくさん作られてきました。
四季の移り変わりはわれわれにとって大切なもので、また季節や時間の変化を意識する感覚はとても繊細なものです。
しかし、現代は空調の効いた屋内で過ごすことが多いためか、高齢者、とりわけ認知症の方は、季節の感覚を感じ取ることが難しい方もおられます。
この章では、季節の歌や話題に触れることで、季節を意識する感覚の向上を目指します。

3月の歌と話題

いよいよ本格的な春が近づいてきましたが、まだまだ寒さも残っています。三寒四温というように徐々に春へと向かっていきます。雛祭りのような明るい行事もあれば、卒業式もあり、旅立ちのシーズンでもあります。

雛祭りに思い出はありますか？
雛人形飾りましたか？

つくしやよもぎなど摘んだことがありますか？

卒業式の思い出、ありますか？

3月の話題のキーワード

・桃の節句・雛人形・桃の花・沈丁花・卒業式
・春一番・春分の日・雪柳・わらび・ぜんまい・ツクシ

脳は、四季の移り変わりを感じ取るとくことでイキイキします。歌の中から季節ごとの楽しみを見つけてみましょう。春の行事や風景を考えながら歌ってみましょう。

3月の歌の例

・春が来た
・どこかで春が
・蛍の光

うれしいひなまつり

作詞：サトウハチロー　　作曲：河村光陽

うれしいひなまつり（歌詞）

1. あかりをつけましょ　ぼんぼりに
お花をあげましょ　桃の花
五人ばやしの　笛太鼓
今日はたのしい　ひな祭り

2. お内裏（だいり）様と　おひな様
二人ならんで　すまし顔
お嫁にいらした　ねえさまに
よく似た官女（かんじょ）の　白い顔

4月の歌と話題

様々な花が咲き始める季節です。新学期で、真新しいランドセルを背負った小学生の初々しい姿も見られます。
スーツを着慣れない新入社員もスタートの季節ですね。

暖かくなってきましたね。
春の花、何が好きですか?

お花見の思い出が
ありますか?

菜の花はお好きですか?

4月の話題のキーワード

・春・花見・花の名前（桜、菜の花、チューリップ）
・入学式・新入社員の思い出

準備すること

・花や春らしい風景の写真
・菜の花の写真（実物）
・「おぼろ月夜」の歌詞

4月の歌の例

・さくらさくら
・桜の花
・北国の春
・こぶしの花

おぼろ月夜（おぼろづきよ）

作詞：高野辰之　　作曲：岡野貞一

おぼろ月夜（歌詞）

1. 菜の花畑に　入日薄れ
   見わたす山の端　霞ふかし
   春風そよ吹く　空を見れば
   夕月かかりて　匂い淡し

2. 里わの火影も　森の色も
   田中の小径を　たどる人も
   蛙の鳴くねも　鐘の音も
   さながら霞める　朧月夜

5月の歌と話題

初夏。青葉が茂り、まさに風の心地よい風薫る季節です。
「目に青葉、山ほとどぎす　初かつを」という俳句にもあるように、初鰹や新茶など味覚の上でも、楽しめる季節です。

初鰹や新茶の季節ですね。
いつも召し上がりますか?

端午の節句ですが、なにか思い出がありますか?

こどもの日の歌で、何か知っているものがありますか?

5月の話題のキーワード

- 卯の花（ウツギ）・初鰹
- 端午の節句
  （こどもの日の思い出など）
- こいのぼり・新茶・神田祭
- 葵祭・三社祭・母の日・たけのこ
- ゴールデンウィーク

5月の歌の例

- 夏は来ぬ
- 茶摘
- こいのぼり
- 背くらべ

楽曲 こいのぼり

作詞：文部省唱歌　　作曲：弘田龍太郎

こいのぼり（歌詞）

1. 甍(いらか)の波と　雲の波
重なる波の　中空(なかぞら)を
橘かおる　朝風に
高く泳ぐや　鯉のぼり

2. 開(ひら)ける広き　其(そ)の口に
船をも呑まん　様(さま)見えて
ゆたかに振う　尾鰭(おびれ)には
物に動(どう)ぜぬ　姿あり

6月の歌と話題

梅雨の季節になりました。じめじめして過ごしにくい季節ですが、紫陽花がうつくしかったり、ジューンブライドで結婚式が多くなったりする季節でもあります。また、雨の降る様子や、傘を持って迎えに来てもらった記憶のある方も多いでしょう。

蛇の目傘って見たことありますか?

雨の日の思い出ってありますか?

天皇陛下のご成婚パレードはごらんになりました?

※自分の結婚式の写真を見せて話題をふるなど。

6月の話題のキーワード

・梅雨・さくらんぼ・蛇の目傘・白無垢や文金高島田
・角隠しなど・結婚式・紫陽花・衣更え・父の日

夏は少し汗をかきながら歌うことで体の新陳代謝もアップします。汗をかいたら水分の補給をして脱水を防止しましょう。

6月の歌の例

・あめふり
・花嫁人形
・雨降りお月さん

楽曲 雨ふり（あめふり）

作詞：北原白秋　　作曲：中山晋平

雨ふり（歌詞）

1. あめあめ ふれふれ かあさんが
じゃのめで おむかい うれしいな
ピッチピッチ チャップチャップ ランランラン
かけましょ かばんを かあさんの
あとから ゆこゆこ かねがなる
ピッチピッチ チャップチャップ ランランラン

2. あらあら あのこは ずぶぬれだ
やなぎの ねかたで ないている
ピッチピッチ チャップチャップ ランランラン
かあさん ぼくのを かしましょか
きみきみ このかさ さしたまえ
ピッチピッチ チャップチャップ ランランラン
ぼくなら いいんだ かあさんの
おおきな じゃのめに はいってく
ピッチピッチ チャップチャップ ランランラン

7月の歌と話題

そろそろ梅雨も終わり、夏も近づいてきました。七夕や１学期の終業式があり、子供たちの夏休みも始まります。七夕で願い事を笹につるしたり、通信簿をもらってきた思い出を皆さんお持ちでしょう。

七夕でお願い事、何を書きました?

天の川、見たことありますか?

子どもたちの夏休みが始まりますね。通信簿の思い出がありますか?

7月の話題のキーワード

・七夕・水芭蕉・夏休み・天の川・祇園祭
・富士山山開き　・ほおずき市・海の日

7月の歌の例

・七夕
・夏の思ひ出
・見上げてごらん夜の星を（※七夕から星つながりで話題を振る）
・星影のワルツ

楽曲 夏の思い出（なつのおもいで）

作詞：江間章子　　作曲：中田喜直

夏の思い出（歌詞）

1. 夏が来れば　思い出す
はるかな尾瀬(おぜ)　とおい空
霧のなかに　うかびくる
やさしい影　野の小路(こみち)
水芭蕉(みずばしょう)の花が　咲いている
夢見て咲いている水のほとり
石楠花(しゃくなげ)色に　たそがれる
はるかな尾瀬　遠い空

2. 夏が来れば　思い出す
はるかな尾瀬　野の旅よ
花のなかに　そよそよと
ゆれゆれる　浮き島よ
水芭蕉の花が　匂っている
夢見て匂っている水のほとり
まなこつぶれば　なつかしい
はるかな尾瀬　遠い空

8月の歌と話題

本格的に暑くなる真夏。猛暑日の続く日が多い昨今ですが、花火大会や盆踊りなどの楽しみもある季節です。

花火大会の季節ですね。どこかの花火大会行かれたことありますか?

夏祭りで思い出がありますか?縁日の屋台ではどんなものを覚えてますか?

子どものころの夏休み、どんな思い出がありますか?

海水浴、どこに行ったことがありますか?

8月の話題のキーワード

- 海・甲子園・地蔵盆
- 縁日（金魚すくい、わたあめ、射的など）
- 盆踊り
- 花火大会・風鈴・西瓜
- プール・夏休みの宿題

8月の歌の例

- 海（松原遠く～消ゆるところ～）
- うみ（うみは　ひろいな　おおきいな～）
- 東京音頭
- 炭坑節

我は海の子（われはうみのこ）

作詞：文部省唱歌　　作曲：文部省唱歌

我は海の子（歌詞）

1. 我は海の子白波(しらなみ)の
さわぐいそべの松原に
煙(けむり)たなびくとまやこそ
我がなつかしき住家(すみか)なれ

2. 生れてしおに浴(ゆあみ)して
浪(なみ)を子守の歌と聞き
千里(せんり)寄せくる海の気(け)を
吸(す)いてわらべとなりにけり

9月の歌と話題

秋の曲には「ふるさと」「父母」というキーワードが多く見られます。また、実りの秋や食欲の秋、読書の秋、お月見、村祭り、月や赤とんぼなど、秋の歌につながる話題はたくさんありますので、皆さんの知っている歌をとりあげて秋を味わいましょう。

皆さんのふるさとはどういうところでしたか?

食欲の秋。秋の食べ物って何を思いうかべますか?

十五夜ですね。
お月見しましたか?

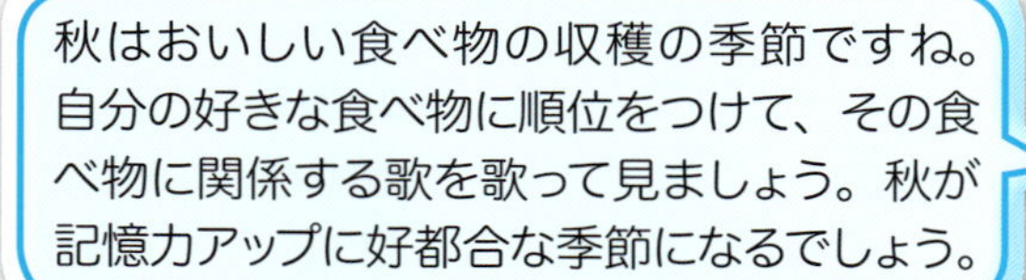

加藤せんせいのワンポイントアドバイス!

9月の話題のキーワード

- 月見・十五夜・秋分の日・栗
- 柿・葡萄・秋刀魚・松茸・梨
- 赤とんぼ・村祭り
- 秋の七草：女郎花（おみなえし）、尾花（おばな=ススキ）、桔梗（ききょう）、撫子（なでしこ）、藤袴（ふじばかま）、葛（くず）、萩（はぎ）
- 重陽の節句

9月の歌の例

- 月の沙漠。
- 真っ赤な秋
- 小さい秋
- 村祭り
- 赤とんぼ

楽曲

里の秋（さとのあき）

作詞：斎藤信夫　　作曲：海沼実

里の秋（歌詞）

1. 静かな静かな　里の秋
   お背戸に木の実の　落ちる夜は
   ああ　母さんとただ二人
   栗の実　煮てます　いろりばた

2. 明るい明るい　星の空
   鳴き鳴き夜鴨(よがも)の　渡る夜は
   ああ　父さんのあの笑顔
   栗の実　食べては　思い出す

10月の歌と話題

体育の日が今と昔では暦の上では異なりますが、運動会などもあり、スポーツの秋のイメージのある季節です。紅葉も色づき、秋がより深まるイメージを持ってもらいましょう。また、1964年の東京オリンピックは10月に開催されました。

1964 年の東京オリンピック、見ましたか?

運動会の思い出がありますか?

かけっこ、得意でしたか?

10月の話題のキーワード

- 体育の日：昔（10月10日）と今の暦（10月の第２月曜日）の違いについてなど。
- ハロウィン（10月31日／但し、高齢者にはハロウィンは思い出が少ない）
- 運動会・衣更え・鰯雲・稲刈り

10月の歌の例

- 故郷の空
- 虫の声

楽曲　旅　愁（りょしゅう）

作詞・作曲：ジョン・P・オードウェイ、日本語詞：犬童球渓

旅愁（歌詞）

1. 更け行く秋の夜　旅の空の
わびしき思いに　ひとりなやむ
恋しやふるさと　なつかし父母
夢路にたどるは　故郷(さと)の家路
更け行く秋の夜　旅の空の
わびしき思いに　ひとりなやむ

2. 窓うつ嵐に　夢もやぶれ
遥けき彼方に　こころ迷う
恋しやふるさと　懐かし父母(ちちはは)
思いに浮かぶは　杜(もり)のこずえ
窓うつ嵐に　夢もやぶれ
遥けき彼方に　心まよう

11月の歌と話題

立冬。木枯らしが吹き寒さが始まる時期です。文化の日や七五三、勤労感謝の日などの行事や祝日もあります。１１月の暖かい日を小春日和と呼ぶ、本格的な冬に向かって準備する月です。

七五三の思い出がありますか?

紅葉の色がきれいですね。
紅葉のきれいなところ、どこかご存知ですか?

寒くなってきました。
どんな暖房器具を使ってましたか?

11月の話題のキーワード

- 紅葉（京都では 11 月の紅葉のシーズン。関東でも色が深まる時期）
- 七五三・木枯らし・焚き火
- 小春日和・酉の市
- 神無月（出雲では神様が集まるので神在月という）
- 勤労感謝の日・立冬・初霜

11月の歌の例

- たきび
- こぎつね
- まつぼっくり

楽曲 紅　葉（もみじ）

作詞：高野辰之　　作曲：岡野貞一

紅葉（歌詞）

1. 秋の夕日に照る山紅葉(やまもみじ)
濃(こ)いも薄いも数ある中に
松をいろどる楓(かえで)や蔦(つた)は
山のふもとの裾模様(すそもよう)

2. 渓(たに)の流(ながれ)に散り浮く紅葉
波にゆられて離れて寄って
赤や黄色の色様々に
水の上にも織る錦

12月の歌と話題

いよいよ年の瀬がやってきました。師走。年末の締めくくりと、お正月の準備に向けて慌しい時期です。クリスマスや忘年会などで、イベントを催しやすい時期でもあります。

冬至に食べるもの、知ってますか?

※南瓜（なんきん）のように「ん」が二つつくものを食べると縁起がよいと言われている。「ん」が二つつく食べ物を他にも聞いてみる。
【例】なんきんまめ　ぎんなん　あんまん　にんじん　はんぺん　れんこん　など

大掃除、しましたか?

クリスマスの思い出ありますか?

冬は家に閉じこもりがちになります。できるだけ体を動かしながら楽しく歌うように心掛けましょう。歌う時に運動も同時にするつもりが脳にも体にも健康にも良いでしょう。

加藤せんせいのワンポイントアドバイス！

12月の話題のキーワード

・冬至・かぼちゃ・柚子湯・年の瀬
・クリスマス・大掃除・大晦日
・年越しそば・ゆく年くる年
・紅白歌合戦・除夜の鐘・師走・雪

12月の歌の例

・冬の夜　・焚き火
・冬景色　・ペチカ
・雪（ゆきやこんこ～）
・雪の降るまちを
・津軽海峡冬景色
・スキー　・冬の星座

楽曲 星の界（ほしのよ）

作詞：杉谷代水　　作曲：コンヴァース

星の界（歌詞）

1. 月なきみ空に　きらめく光
鳴呼(ああ)その星影
希望のすがた
人智(じんち)は果(はて)なし
無窮(むきゅう)の遠(おち)に
いざ其の星影　きわめも行かん

2. 雲なきみ空に　横とう光
ああ洋々たる　銀河の流れ
仰ぎて眺むる
万里(ばんり)のあなた
いざ棹(さお)させよや
窮理(きゅうり)の船に

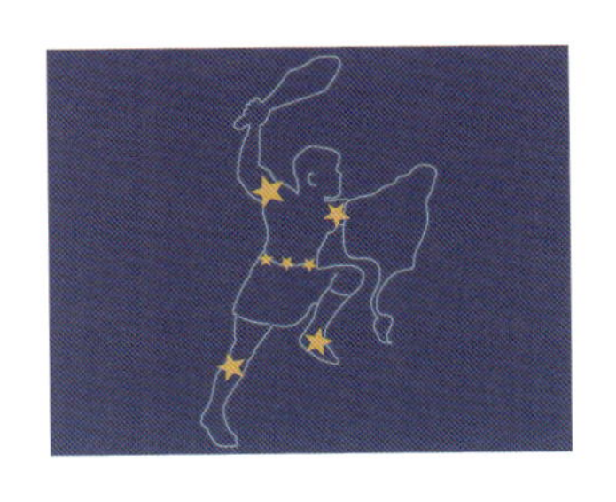

1月の歌と話題

新しい年を迎え、気持ちが引き締まります。お正月には親戚で集まって遊んだ思い出のある人も多いでしょう。お正月に食べたものや遊んだことを色々聞いてみましょう。

お雑煮は地域で随分違いますが、どんなお雑煮を食べてましたか?

お正月らしい遊び、覚えてますか?

成人式の思い出はありますか?

1月の話題のキーワード

・お正月・凧揚げ・餅つき
・羽子板・福笑い・すごろく
・お節料理・お雑煮・お年玉
・初詣・初日の出・成人式

1月の歌の例

・お正月
・たこのうた
・春の海

楽曲 一月一日（いちがつ ついたち）

作詞：千家 尊福　　作曲：上　真行

一月一日（歌詞）

1. 年の始めの　例(ためし)とて
終(おわり)なき世の　めでたさを
松竹(まつたけ)たてて　門ごとに
祝(いお)う今日こそ　楽しけれ

2. 初日のひかり　さしいでて
四方(よも)に輝く　今朝のそら
君がみかげに比(たぐ)えつつ
仰ぎ見るこそ　尊(とお)とけれ

2月の歌と話題

立春。暦の上では春を迎えます。まだまだ寒い季節ですが、梅が咲き始め、春の始まりを感じます。節分で豆まきした思い出がある人も多いでしょう。

梅が咲き始めましたね。
梅のきれいな所をどこか知りませんか?

節分、豆まきしましたか?
思い出がありますか?

節分飾りって知ってますか?

※ヒイラギに鰯の頭を刺したもの。
厄除けに飾る。

2月の話題のキーワード

・立春・節分・恵方巻き
・なまはげ・かまくら
・バレンタインデー・建国記念日
・梅・鶯

2月の歌の例

・早春賦
・どじょっこふなっこ
・豆まき

楽曲 春よ来い（はるよこい）

作詞：相馬御風　　作曲：弘田龍太郎

春よ来い(歌詞)

1. 春よ来い　早く来い
あるきはじめた　みいちゃんが
赤い鼻緒(はなお)の　じょじょはいて
おんもへ出たいと　待っている

2. 春よ来い　早く来い
おうちの前の　桃の木の
蕾(つぼみ)もみんな　ふくらんで
はよ咲きたいと　待っている

監修者プロフィール

武知治樹（たけち はるき）　音楽療法士／公認心理師／株式会社 Leaf 音楽療法センター長

児童から高齢者の音楽療法や精神科クリニックでの心理カウンセリング活動を行う傍ら、2016 年株式会社 Leaf 音楽療法センター（現：株式会社 Wellone's）取締役に就任。
これまでに延べ 1 万人以上に音楽療法を提供し、音楽療法士の養成、啓発活動、セミナー講師など多岐にわたって活躍している。
●日本音楽療法学会認定音楽療法士
●公認心理師
●産業カウンセラー

加藤俊徳（かとう としのり）　脳内科医 / 医学博士。脳の学校代表／加藤プラチナクリニック院長

昭和大学客員教授。
1961 年新潟県生まれ。発達脳科学・MRI 脳画像診断の専門家。脳番地トレーニングの提唱者。
1991 年、ヒトの脳機能を頭皮上から光計測する fNIRS 原理を発見。10 年後、脳の酸素交換機能を計測するベクトル法 fNIRS を開発。
世界 700 カ所以上の脳研究施設で使われる fNIRS の生みの親として国内外で活躍中。
1995 年に脳画像法の研究成果が認められ渡米。2001 年まで、米国ミネソタ大学放射線科 MR 研究センターにてアルツハイマー病や脳イメージング研究に従事。
帰国後、慶應義塾大学医学部、東京大学医学部大学院などでの研究を経て、2006 年に株式会社脳の学校を創業し、脳が成長する新しい医療を推進している。
医師としては、独自の MRI 脳画像鑑定技術を生み出し、胎児から超高齢者まで 1 万人以上の脳を分析。発達障害の原因となる海馬回旋遅滞症の発見など、業績・論文多数。
加藤プラチナクリニック（港区白金台）では、MRI 脳画像診断に基づいて発達障害や認知症の診断や予防医療を実践している。
現在、「Inter FM 897」ラジオではレギュラー番組「脳活性ラジオ Dr 加藤 脳の学校」（毎週土曜日 21:30 ～ 22:00）が好評放送中。
主な著書には、『アタマがみるみるシャープになる！脳の強化書』（あさ出版）、『「耳が聴こえにくい」は脳トレで治る !』（宝島社）、『脳科学者 加藤俊徳の脳若返り革命ドリル』（主婦の友社）、『忘れない時間が長くなる脳ドリル』（MS ムック）、『50 歳を超えても脳が若返る生き方』（講談社＋α新書）など多数。
・「脳の学校」公式サイト　http://www.nonogakko.com
・加藤プラチナクリニック公式サイト　http://www.nobanchi.com

協力：宮地太基（株式会社 Leaf 音楽療法センター）／齋藤麻里（音楽療法士／株式会社 Leaf 音楽療法センター）／佐々木彩香
佐藤理寿美
協力：宮地太基（株式会社 Wellone's）／佐々木彩香／佐藤理寿美
サウンドエンジニア：下田義浩（URBAN FOREST STUDIO JAPAN）
ピアノ演奏：清水継美（音楽療法士）
音楽療法士：石本直美／岩﨑かおる／上野真澄／内田ゆり／大森咲／河口謡子／川﨑まや／吉良まゆみ／草場愛／後藤由香／佐野恭子
杉本朝美／鈴木佑梨／住田陽子／高島結衣／鳥居千茶／藤村美穂／柳澤恵美／山田桂

【STAFF】企画・構成・編集：有限会社イー・プランニング／デザイン・DTP：小山　弘子／イラスト：赤星ポテ子／太田アキオ

日本音楽著作権協会（出）許諾第 2205478-201 号

※本書に付属の CD は、図書館およびそれに準ずる施設に限り、本書とともに貸し出すことを許諾します。

**CD・QR 音源付ですぐに使える！
高齢者のための音楽レクリエーション
音楽療法のプロが教える**

2022 年　8 月 10 日　　第 1 版・第 1 刷発行

監修者　武知　治樹・加藤　俊徳（たけち　はるき・かとう　としのり）
発行者　株式会社メイツユニバーサルコンテンツ
代表者　三渡　治
〒102-0093 東京都千代田区平河町一丁目 1-8
印　刷　株式会社厚徳社

◎「メイツ出版」は当社の商標です。

 ISBN978-4-7804-2631-1　C2036　Printed in Japan.

ご意見・ご感想はホームページから承っております。
ウェブサイト　https://www.mates-publishing.co.jp/
編集長：堀明研斗　企画担当：大羽孝志／折居かおる

※本書は2018年発行の『CD付すぐに使える！高齢者のための音楽レクリエーション音楽療法のプロが教える』を元に、QRコードによる音源再生が可能な形として再編集し、書名を変更して発行しています。